리디아 자멘호프 번역으로 읽는
폴란드 산문작가 볼레스와프 프루스 단편소설

비전 & 정장 조끼

La vizio & La veŝto

볼레스와프 프루스 지음
리디아 자멘호프 에스페란토 번역
장정렬(Ombro) 옮김

비전 & 정장 조끼

인　쇄 : 2024년 3월 25일 초판 1쇄
발　행 : 2024년 4월 5일 초판 1쇄
지은이 : 볼레스와프 프루스 지음
　- 리디아 자멘호프 에스페란토 번역
옮긴이 : 장정렬(Ombro)
펴낸이 : 오태영(Mateno)
출판사 : 진달래
신고 번호 : 제25100-2020-000085호
신고 일자 : 2020.10.29
주　소 : 서울시 구로구 부일로 985, 101호
전　화 : 02-2688-1561
팩　스 : 0504-200-1561
이메일 : 5morning@naver.com
인쇄소 : TECH D & P(마포구)

값 : 10,000원
ISBN : 979-11-93760-06-2(03890)

리디아 자멘호프 번역으로 읽는
폴란드 산문작가 볼레스와프 프루스 단편소설

비전 & 정장 조끼

La vizio & La veŝto

볼레스와프 프루스 지음
리디아 자멘호프 에스페란토 번역
장정렬(Ombro) 옮김

진달래 출판사

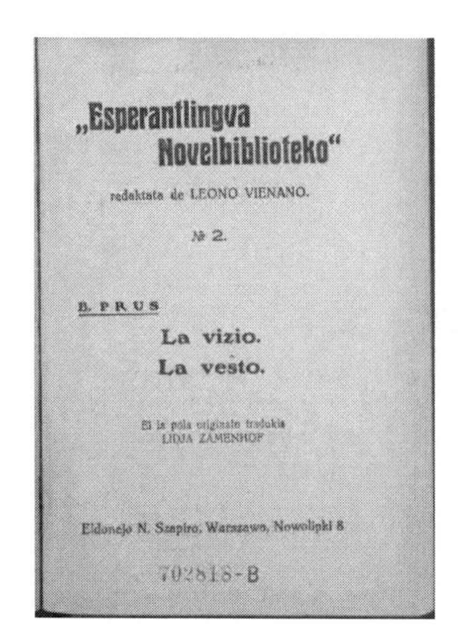

에스페란토 번역본 표지

『비전』

볼레스와프 프루스(B. Prus) 단편소설(1899년 5월 22일 탈고)

작가의 유작 전집(1935년, 바르샤바) 중『단편소설 제4권』

『정장 조끼』

볼레스와프 프루스가 1882년에 쓴 단편소설

위 두 작품은『에스페란토 단편소설 제2권 La vizio & La veŝto』(리디아 자멘호프(Lidia Zamenhof) 옮김, LEONO VIENANO 편집, 폴란드 바르샤바, 1930년)에 수록.

https://archive.org/details/LaVizio/page/n7/mode/2up

차 례

작가 소개

볼레스와프 프루스(Bolesław Prus, 본명: Aleksander Głowacki, 알렉산더 그오바츠키, 1847 - 1912)는 폴란드의 소설가이자 폴란드 문학과 철학사에서 선도적인 인물이었다.
15살의 학창 시절 러시아 지배에 저항하여 일어난 1863년 1월 봉기에 가담했다가 부상 당한 뒤 감옥에 수감되었다. 대학에 다니다 경제적 이유로 중퇴하고 가정 교사, 야금 공장 노동자 등으로 일했다. <니바Niwa>에 발표된 전류에 관한 논문이 유명해졌고, 이후 주간지 <파리Mucha> 편집에 참여하며 단편소설 『철학자와 무식꾼Filozof i prostak』과 『이것과 저것(To i owo)』을 이곳에 발표한다. <바르샤바 신문Kurier Warszawski>, <폴란드 신문Gazeta Polska> 등 신문, 잡지에 칼럼과 소설을 꾸준히 연재한다. 특히 1875년 <바르샤바 신문>에 연재하기 시작한 칼럼으로 유명해졌는데, 이 연재는 1887년까지 이어졌다(중간에 10개월 연재 중단). 1879년 국제문학협회 회원이 되었고 이 해에 소설 『스타시의 모험Przygoda Stasia』을 발표했다. 다음 해에 폴란드 문학으로는 처음으로 노동자들의 파업을 묘사한 중편소설 「돌아오는 물결」과 단편소설 『미하우코Michałko」를 발표했다. 1882년 일간지 <새 소식> 편집장이 되었으나 이듬해 폐간되어 다시 <바르샤바 신문>으로 복귀했다. 『침묵하는 목소리들』, 『어린 시절의 죄』, 『실수Omyłka』, 『초소Placowka』, 『인형Lalka』, 『여성 해방론자들Emancypantki』, 『파라온Faraon』, 『삶의 가장 일반적인 이상들』, 『어린이들』 등 많은 작품을 연재하고 발표했다. 1912년 65세의 나이로 바르샤바에서 사망했다.
1887년부터 신문에 연재하다가 1890년 단행본으로 출간한 『인형』은 폴란드 국민이 가장 사랑하는 소설로 손꼽히는 작품이자, 세부적인 묘사와 단순하고 명쾌한 언어가 돋보이는 사실주의 대표작이다. 『인형』의 저자는 이 작품을 통해 폴란드 귀족들의 완고한 특권 의식, 도덕적 해이, 경제관념의 부재, 노동에 대한 경시, 시대 변화에 대한 무지 등 폴란드 근대화에 장애가 되는 봉

건주의적 잔재를 신랄하게 비판하고 있다. 또 이 소설에는 작가의 온화한 심성과 인간에 대한 깊은 애정이 잘 반영되어 있다. 귀족부터 빈민에 이르는 광범위한 사회 계층의 갖가지 인간관계를 분석하고 비판한, 폴란드 사실주의를 대표하는 작품으로 한국어로도 을유문화사에서 2016년 출간되었다. 이 작품은 영화, 연극, TV 연속극으로 방영된 폴란드 국민이 가장 사랑하는 소설이다. 역사 소설인 『파라온Faraon』은 고대 이집트를 배경으로 정치 권력과 국가 운명을 다룬 작품이다.

에스페란토 번역가 소개

Lidja Zamenhof, 에스페란토 창안자 L. L. 자멘호프(L. L. Zamenhof)의 막내딸인 리디아(Lidia) 자멘호프(Lidja [Lidia] Zamenhof)(1904 - 1942)는 폴란드 바르샤바에서 태어났다(당시 제정러시아) 그녀는 에스페란토와 또한 그녀의 아버지가 공식화한 일종의 종교적, 윤리적 세계 시민권인 인문주의의 적극적인 옹호자였다. 1925년경 그녀는 바하이(Bahai)교 운동의 일원이 되었다. 1937년 말에 그녀는 바하이교와 에스페란토를 가르치기 위해 미국으로 갔다. 1938년 미국 이민 문제로 인해 폴란드로 돌아가 그곳에서 계속 가르치고 많은 바하이 종교 서적을 에스페란토로 번역했다. 유대인 출신인 그녀는 1942년 여름 이후 독일의 트레블링카 수용소에서 살해당했다.
리디아 자멘호프는 에스페란토 운동에 가장 적극적으로 참여하였고 훌륭한 에스페란토 언어 능력으로 1905년 노벨 문학상 수상자인 폴란드 작가 헨리크 시엔키에비치 작품 『쿼바디스』를 번역했다. 서울에스페란토문화원 이중기 원장의 번역으로 그녀 삶을 소개한 『우리는 살 것입니다 Ni vivos!』(율리안 모데스트 지음)이 있다.

우리말 옮긴이 소개

장정렬 (Jang Jeong-Ryeol(Ombro))은 1961년 창원에서 태어나 부산대학교 공과대학 기계공학과를 졸업하고, 1988년 한국외국어대학교 경영대학원 통상학과를 졸업했다. 1980년 에스페란토를 학습하기 시작했으며, 에스페란토 잡지 La Espero el Koreujo, TERanO, TERanidO 편집위원, 한국에스페란토청년회 회장을 역임했다. 거제대학교 초빙교수, 동부산대학교 외래 교수로 일했다. 현재 한국에스페란토협회 부산지부 회보 'TERanidO'의 편집장이다. 세계에스페란토협회 아동문학 '올해의 책' 선정 위원.

- 진달래 출판사 발간도서

『파드마, 갠지스 강가의 어린 무용수』, 『테무친 대초원의 아들』
『대통령의 방문』, 『국제어 에스페란토』(이영구. 장정렬 공역)
『황금 화살』, 『알기쉽도록 <육조단경> 에스페란토-한글풀이로 읽다』, 『침실에서 들려주는 이야기』, 『공포의 삼 남매』
『우리 할머니의 동화』, 『얌부르그에는 총성이 울리지 않는다』
『청년운동의 전설』, 『푸른 가슴에 희망을』
『반려 고양이 플로로』, 『민영화도시 고블린스크』
『마술사』, 『세계인과 함께 읽는 님의 침묵』
『세계인과 함께 읽는 윤동주시집』, 『크로아티아 전쟁체험기』
『희생자』, 『피어린 땅에서』, 『사랑과 죽음의 마지막 다리에 선 유럽 배우 틸라』, 『상징주의 화가 호들러의 삶을 뒤쫓아』
『무엇 때문에』, 『밤은 천천히 흐른다』
『살모사들의 둥지』, 『메타 스텔라에서 테라를 찾아 항해하다』
『선한 부인 & 전설』, 『아보쪼』, 『중단된 멜로디』
『언니의 폐경』, 『욤보르와 미키의 모험』
『잊힌 사람들』, 『고립』, 『메아리가 된 아스마』
『에스페란토 해설 노자도덕경』『시계추』

작품 소개

*단편소설 『비전(원제:Widzenie)』

볼레스와프 프루스(B. Prus) 단편소설 『비전』은 1899년 5월 22일 썼다고 저술 시점을 기록해 놓고 있습니다. 이 작품은 작가의 유작 전집(1935년, 바르샤바) 중 『단편소설 제4권』에 실렸습니다. 그보다 앞서 1930년 폴란드 바르샤바에서 에스페란토 번역본이 발간되는데, 당시 이 작품을 번역한 이는 국제어 창안자 자멘호프(L.L.Zamenhof)의 딸 리디아 자멘호프(Lidia Zamenhof)입니다.

*단편소설 『정장 조끼(원제: Kamizelka)』

폴란드 작가 볼레스와프 프루스가 1882년에 쓴 단편소설 『정장 조끼』는 걸작으로 평가받고 있습니다. 가난한 바르샤바 주민들의 일상을 스케치한 작품입니다. 정장 조끼의 현 주인인 서술자는 원래 주인과 그의 아내의 삶을 관찰한 내용을 바탕으로 이야기를 재구성합니다. 이 이야기는 체코어, 영어, 프랑스어, 독일어, 히브리어, 이탈리아어, 러시아어, 슬로바키아어, 에스페란토로 번역되었습니다. 특히 에스페란토 본은 자멘호프 박사(L.L. Zamenhof)의 딸이자 번역가 리디아 자멘호프(Lidia Zamenhof)가 번역하였습니다. 리디아 자멘호프의 감성어린 번역을 접할 기회가 되리라 봅니다.

La vizio

Ĉapitro I

Dum vintra vespero, ĉirkaŭ la naŭa horo, doktoro Ĉerski, klinita super tablo, sidas en sia kabineto, ĝi estas alta, dufenestra ĉambro. Laŭlonge de unu muro staras triobla biblioteka ŝranko, ĉe la alia — ŝranko kun ĥirurgiaj iloj. Ĉe unu fenestro vidiĝas kverka skribtablo, turnita per sia maldekstra flanko al la lumo, ĉe la alia —apogilo, kaj sur la apogilo — multekosta anatomia atlaso. En la mezo de la kabineto, sub pendanta lampo, troviĝas tablo, ĉe kiu laboras la doktoro. La ceteron de la ĉambro okupas pezaj brakseĝoj kaj seĝoj, tegitaj per ledo.

La doktoro estas ĥirurgo. Morgaŭ li devas operacii gravan tuberon sur la kolo, do hodiaŭ, por ekzerco, li kopias el la atlaso tiun danĝeran por kuracistoj kaj malsanuloj korpoparton kun ĝia komplikita reto de vejnoj kaj nervoj. La doktoro estas mezkreska kaj karakteriziĝas per malvarma trankvilo. Liaj konatoj diras pri li, ke li havas ŝtonan fizionomion kaj ŝtalan rigardon.

비전

제1장

어느 겨울 저녁 9시쯤, 체르스키 Ĉerski 박사는 테이블 위에 몸을 숙인 채 진료실에 앉아 있다.

진료실은 창문 두 개가 달린, 천장 높은 방이다.

한쪽 벽에는 3칸짜리 책장이 놓여 있다.

맞은편 벽에는 외과 수술 도구를 놓은 가구가 있다. 한쪽 창문 곁의 왼편에는 램프 불빛이 비치는 참나무 책상이 보이고, 다른 한 창문 곁에는 이젤이 있다.

이젤 위에 -매우 값비싼 인체해부도가 놓여 있다.

진료실 중앙에 걸려 있는 램프 저 아래에는 그 박사가 업무를 보는 테이블이 놓여 있다.

진료실의 나머지 공간에는 가죽이 덮인 무거운 안락의자와 의자가 여럿 놓여 있다.

그 박사는 외과 전문의다.

내일 그는 환자 목에 생긴 심각한 혹 하나를 수술해야 한다. 그래서 오늘, 연습을 위해, 인체해부도에서 의사나 환자 모두에게 신체의 위험한 정맥과 신경의 복잡한 연결망을 베끼고 있다. 그 박사는 중간 키에 차갑고 차분한 성격이다.

지인들은 그를 두고 말하기를, 그는 돌처럼 차가운 인상에, 강철처럼 예리한 눈길을 지녔다고 한다.

Li estas unu el plej bonaj ĥirurgoj. Li kvazaŭ vidas ian internon de la korpo de malsanulo, kaj liaj iloj preskaŭ posedas senton, dank' al kio li laŭdire ankoraŭ neniam faris ian danĝeran eraron en operacio.

La ĉefa trajto de lia karaktero estas nefleksebla volo. Li estas filo de iam bonstata familio, sed kiam la patro perdis la havaĵon kaj mortis, la knabo komencis de la kvina klaso mem perlaboradi sian panon kaj vivtenadis ne sole sin mem, sed ankaŭ la patrinon. Malgraŭ gravaj malhelpoj li finis universitaton, estis dum kelkaj jaroj eksterlande kaj, reveninte en la patrujon, li rapide akiris praktikon kaj edziĝis kun fraŭlino, kiun li ekamis, estante ankoraŭ studento, kaj jam tiam decidis, ke ŝi estos lia edzino.

Alian karakterizan trajton de la eminenta kuracisto prezentis profunda pesimismo, kies fonton oni devas serĉi preskaŭ en lia infanaĝo. Kompaniano de la patro forrabis de li la havaĵon kaj lin mem enpelis en tombon kaj, kiam la patrino iris al la rabinto por elpeti almenaŭ parton de la mono por edukado de la filo, la rabulo donis al ŝi tian respondon:

— Kiu ne povas fini la lernejon, okupiĝu per metio. La socio ne bezonas pretendemajn duonklerulojn, sed bonajn laboristojn.

Post tiu rifuzo la malfeliĉa patrino petis helpon jen de sia familio, jen de siaj iamaj amikoj.

그는 최고의 외과 의사라고 평을 듣고 있다.
그 의사가 환자 몸속을 훤히 들여다보는 것 같다는 평이 있는가 하면, 그가 가진 수술 도구가, 마치 인지력을 갖춘 눈이 달린 듯이, 수술 중 위험한 실수는 한 번도 없었다고들 평한다.

하지만 그의 성격의 주요 특징 중 하나가 융통성 없는 의지력이다.

한때 그는 부유한 집안의 아들이었다. 하지만 아버지가 당신의 전 재산을 잃게 되자, 그 충격으로 그만 별세하였다.

그때, 초등학교 5학년 때부터 소년은 밥벌이에 나섰으며, 자기 자신은 물론 어머니까지 부양했다.

그러나, 온갖 어려움을 극복하고 그는 의과대학을 졸업하고 몇 년간 해외에 머물면서, 의사로서의 실무를 쌓았다.

그 뒤 고국에 돌아와서는 서둘러 개업을 해다. 그러고는 대학생 때 사랑에 빠진 젊은 여성과 결혼했다. 이미 대학 시절에 그 연인을 그의 아내로 맞기를 결심했단다.

그 탁월한 의사의 성격에서 또 다른 특징은 깊은 비관주의였으며 그 근원은 어린 시절에 찾아야 한다.

아버지와 동업하던 회사 임원이 아버지 재산을 뺏어가는 바람에, 아버지는 죽음에 내몰렸다.

당시 어머니가 아들 교육을 위해 그 동료 임원을 찾아가, 뺏어간 재산 일부라도 내놓으라고 하자, 강도 같은 그 임원은 어머니에게 이렇게 답했다:

"학업도 못 마칠 아이라면, 수공업 분야에 가서 일하면 돼요. 사회는 허세나 부리는 얼간이 지식인이 필요한 게 아니라 좋은 일꾼이 필요하거든요."

그렇게 거절당해 낙심한 어머니는 때론 자신의 친지에게, 때론 이전의 친구들에게 도움을 요청해야 했다.

Sed ĉiuj respondis la samon: ke Karlo ne devas plu pensi pri lernado, sed pri profitdona laboro.

Tia konduto de plej proksimaj, iam afablaj personoj, enskribis sin per sangaj literoj en la animo de la kuracisto kaj influis lian pluan vivon. Malafabluloj diradis, ke doktoro Ĉerski estis eminenta ĥirurgo tial, ke li forstrekis el sia vortaro la vorton „kompato", kion li mem parte konfirmadis, dirante multfoje:

— Se mi volus kortuŝiĝi pro ĉiu larmo, kiun mi vidas, mi ne povus esti ne nur ĥirurgo, sed eĉ fratino-flegistino.

Malgraŭ tio li estis homo honesta, kaj ne sole kuracadis senpage malriĉulojn, sed plie —lia domo estis fama, kiel hejmo, kie trovis helpon tre multaj personoj, familioj kaj institucioj. La kaŭzo de tio ĉi estis lia edzino. Kiam kelkaj el pli intimaj konatoj demandis lin, kiel oni povas ligi lian grandan oferemon kun la malafablaj aforismoj, li respondis:

—Filantropio estas la fako de mia edzino. La virino amuzu sin, se tio estas por ŝi agrabla.

— Ne kalumniu vin mem, doktoro!

— Mi tute ne kalumnias min, En la bonfarado de mia edzino mi ludas nenian rolon. Mi nur penas ne agadi malbone: mi ne ŝtelas, ne mortigas. ne veturas per vagonaroj sen biletoj···

그러나 모두 한결같은 대답이다:

“아들 카를로 Karlo는 이제 학업을 그만하고, 돈 버는 일에 몰두하게 해요.”

한때 친절했던 가장 가까운 사람들의 이러한 행동은 그 의사 영혼에 피의 흔적을 남기고 그게 향후 그의 삶에 반영되었다. 그런 체르키 박사를 불만스럽게 바라보는 이웃 사람들은 체르키 박사 사전에는 “연민” 이라는 낱말을 삭제했기에, 훌륭한 외과 의사 선생님이 되었다고 말하였다.

그러면, 그 자신도 수차례 그 말에 동의함으로 어느 정도 확인이 되었다.

“제가요, 사람들이 우는 모습을 볼 때마다 안타까움을 느꼈다면, 외과 의사도 못되었을 뿐만 아니라 자비의 수녀 자매도 못되었을 겁니다.”

그래도 그는 선천적으로 정직한 사람이었다.

가난한 사람들을 무료로 진료해 주었을 뿐만 아니라, 더 나아가, 그의 집은 수많은 개인, 가족, 기관이 도움을 찾는 가정으로 유명해졌다.

이런 일의 원인 제공자는 아내였다.

그 외과 의사의 더 친한 친구 중 몇 명이 그 의사에게 그의 위대한 자비심이 그런 차가운 태도와 어떻게 연결되는지 물었을 때 그는 답하였다:

“자선 활동은 제 아내 몫입니다. 아내는, 만일 그게 기쁘게 할 수 있는 일이라면, 기꺼이 즐겁게 그 일을 합니다.”

“박사님, 그렇게 자신을 질책하지 마세요!”

“제가 왜 저를 질책하나요? 아내의 자선 활동에 저는 어떤 역할도 하지 않습니다. 저는 나쁘게 행동하지 않으려는 점만 생각하고 살아갑니다. 즉, 도둑질하지 않아야 하고, 살인하지 말아야 하고, 기차 탈 때도 승차표 구매 없이 타면 안 된다는…

Tiajn plaĉojn mi havas.

La doktoro plene harmoniis kun sia kabineto, kiu aspektis preskaŭ malserene, kvazaŭ ĉiu el la esplorataj pacientoj lasus tie parton de sia malĝojo kaj maltrankvilo.

그런 것들을 제가 선호하는 편입니다."

의사의 그런 태도는, 진료받은 환자 한 명 한 명이 슬픔과 불안을 한 조각씩 남겨놓아, 그렇게 침울해 보이는 듯한 진료실과 완전한 조화를 이뤘다.

Ĉapitro II

En tiu momento ekkraketis la pordo kaj sur la tapiŝo aŭdiĝis bruo de silka vesto.

— Ĉu tio estas vi, Zonjo? — demandis la doktoro, levante la kapon de super la desegnaĵo.

— Mi jam veturos al la patrino — diris la sinjorino per mallaŭtigita voĉo — kaj kun ŝi mi veturos al gesinjoroj Viktoroj. Ĉu mi malhelpis al vi? Pardonu!

Ŝi ĉirkaŭprenis lian kolon kaj kovris la vizaĝon per kisoj. En sia hela vesto ŝi aspektis apud li kiel floro, premanta sin al statuo.

Ŝi estis virino alta, eleganta, kun dikaj sed belaj trajtoj, kiujn lumigadis esprimo de dolĉeco. La edzo, kiun ŝi adoris, fileto, por kiu ŝi estis preta, ĉiumomente fordoni la vivon, diversaj suferantoj kaj senhavigitoj — jen estis la regno, kie ŝi agadis.

— Do kiam vi venos por min kunpreni? — ŝi diris — kaj eble vi tute ne venos, ĉar mi vidas, ke vi estas tre okupita? Gesinjorojn Viktorojn vizitos hodiaŭ kelkaj personoj speciale por konigi kun vi.

— Ĉu ili pensas, ke kiam mi koniĝos kun ili, mi farados al ili operaciojn pli bone kaj malpli kare?

제2장

그 순간 진료실 출입문이 살짝 소리 내며 열리더니, 실크 드레스가 카펫 위에서 닿으며, 옷자락 끄는 소리가 들렸다.

"당신인가요, 조시아Zosia[1]?" 인체해부도에서 고개를 들며 그 의사가 물었다.

"저는 지금 어머님 뵈러 갈 겁니다." 아내는 낮은 목소리로 말했다. "그러고는 어머님과 함께 빅토르Viktoroj 씨 부부를 만나러 갑니다. 당신 일에 방해되었나요?… 그랬다면, 미안해요."

그녀는 그 의사 목을 껴안고 키스로 그의 얼굴을 덮었다.

그녀가 밝은 드레스를 입고 남편 옆에 선 모습은 마치 조각상을 누르는 꽃 같아 보였다. 그녀는 키가 크고 우아한 여성이고, 그녀의 감성적인 표정은 그녀의 살진 몸매와 아름다운 모습을 환하게 해 주었다. 그녀가 존경하는 남편, 그녀가 매 순간 목숨을 기꺼이 바칠 준비가 된 아들, 또 다양한 고통으로 또 가난으로 힘들어 하는 사람들, -이 모두가 그녀의 활동 영역이다.

"저를 데리러 언제쯤 올 수 있어요?" 그녀가 말했다. "아니면 당신이 그리 바쁘니, 못 올 수도 있겠지요? 오늘은 그곳, 빅토르 댁을 방문하는 분들이 모두 당신과 친해 보려고 특별히 오신다는 점은 알아 둬요."

"내가 그네들을 알아 두면, 그네들이 혹시 있을지도 모를 수술에서 내가 더 잘 보살피고, 그네들이 진료비는 저렴하게 내겠다는 생각일까요?"

---

1) *역주: 에스페란토문에서는 Zonjo.

— Ne parolu tiel, ĉar tio estas malbela, Karlo! Kaj eble vi preferus, ke mi restu hejme, ĝis vi estos libera.

— Iru, mia infano, kaj amuzigu bone. Se nenio okazos, mi venos vin kunpreni ĉirkaŭ la dekdua.

— Bone; do kisu Kaziĉjon, ĉar li volas diri al la paĉjo „bonan nokton".

— Je tiu ĉi horo la knabo ankoraŭ ne dormas? — ekmiris la doktoro — mi tuj iros al li.

La edzino denove kisis lin, dirante:

— Ĝis baldaŭa revido. Mi konfidas vin ambaŭ al Dio.

— Bona protekto ĝi estas — ekmurmuris la doktoro.

La edzino kovris al li la buŝon per la mano.

— Se vi min almenaŭ iomete amas, neniam diru ion similan, Karlo! — ŝi diris timigite. -Kelkfoje vi parolas, kvazaŭ vi ne kredus···

— Kaj tamen estus ja tute facile forigi ĉian nekredon el la mondo. - La doktoro ridetis.[2] - Unu signo, unu malgranda pruvo de ekzisto··· Kian malutilon ĝi farus al Dio?

— Ho, ne parolu tiel — denove interrompis al li la edzino kun kreskanta timo. — La signoj de Dio estas teruraj, kaj oni ne devas ilin provoki.

— Iru, mia kara — interrompis la doktoro

---

2) *Traduknoto: En Esperantigita teksto ne troviĝas tiu ĉi frazo. Pro tio Ombro enmetis ĝin.

"그렇게 말하지 마요. 그건 나빠요, 카를로! 아니면 당신이 시간 날 때까지 제가 집에 머무르길 바라나요?"

"가서 즐겨요, 여보. 아무 일 없으면 12시쯤 데리러 갈게요."

"알았어요. 그러니 지금 카지오 Kazio에게 가서 키스해 줘요. 카지오가 아빠께 '안녕히 주무세요' 라고 인사하고 싶다고요."

"이 시각에 그 아이 아직 자지 않고 깨어있나요?" 의사가 궁금해했다. "그럼, 금방 그 아이에게 다녀갈게요."

아내는 남편을 다시 껴안으며 말하였다:

"나중에 봐요. 당신과 아들, 여기 이 두 사람이 하나님께 영광이 되길…"

"그 말은 좋은 보호가 되겠네요." 의사가 중얼거렸다.

아내는 자신의 손으로 남편 입을 막았다.

"당신이 나를 조금이라도 사랑한다면, 그런 말은 절대 하지 마세요, 카를로!" 그녀는 겁에 질려 말했다. "가끔 당신이 그리 말하니, 마치 신앙심이 없는 사람처럼 들려요."

"하지만, 이 땅의 모든 신앙심 없음을 없애기란 정말 쉽지요!" 의사는 미소를 지었다. "징표 하나면, 작은 징표 하나면… 그게 하나님께 무슨 해가 되겠어요?"

"오, 그런 말도 마셔요!" 아내는 점점 두려워하며 다시 남편 말을 가로막았다. "하나님의 징표란 끔찍하기에, 그걸 사람들이 불러들일 필요는 없지요."

"어서 출발해요, 내 사랑!" 의사가 아내 말을 가로막았다.

— Iru kaj amuziĝu bone post nia monaĥeja enuado.

Li kisis ŝin, akompanis al la pordo kaj poste revenis al sia tablo. Ree li klinis la kapon super la desegnaĵo, sed tuj li levis ĝin, atentigita de ia brueto.

Ĝi estis seka neĝo, kiu faladis ekstere kaj frapis la fenestrojn. Iafoje povus ŝajni, ke petolemaj infanoj ŝutas sablon sur la vitrojn, jen — ke iu mallaŭte frapetas sur la fenestrojn, kvazaŭ li volus elvoki la doktoron, aŭ anonci, ke li mem venos al li.

Al la doktoro ŝajnis, ke ĉe tiu bruo de la neĝo li vidas etajn, rozajn fingretojn, kiu tamburetas sur la vitroj. Li rememoris la filon, ridetis kaj forlasis la kabineton.

En granda ĉambro, ĉe lumo de pale – blua lampo dormis Kaziĉjo, zorgata de infanistino.

— Kaziĉjo tiel atendis la paĉjon, tiel atendis··· li tute ne volis senvestigi, kaj ankoraŭ postulis, ke mi lin veku, se li endormiĝus — flustris la infanistino ridetante — li volis diri al la paĉjo „bonan nokton“, kaj montri la novan arlekenon, kiun hodiaŭ donacis al li la avinjo. Kaj li diris ankoraŭ, ke se la paĉjo deziros, li donacos al la paĉjo la arlekenon, ĉar ĝi estas la plej bela ludilo, kiun Kaziĉjo iam ricevis. Por li ĉiu nova ludilo estas la plej bela.

Post tiu ĉi raporto la infanistino eliris, kaj la doktoro fikse rigardis la dormantan filon.

"이 수도원 같은 지루한 집을 뒤로 하고, 가서 즐겁게 시간을 보내요."

의사는 아내를 껴안고, 출입문까지 걸어 배웅한 다음, 진료실 탁자로 돌아왔다.

그는 다시 해부도 그림 위로 고개를 숙였지만, 뭔가 바스락하는 소리에 놀라, 고개를 즉각 다시 들었다.

밖에는 마른 눈발이 창문을 때리고 있다. 때로는 그 눈발이 마치 장난꾸러기 아이들이 창문에 모래를 흩뿌리는 것 같기도 하고, 아니면, 누군가가 그 의사를 부르려는 것 같기도 하고, 아니면 누군가 자신이 이곳을 찾아왔다는 것을 알리려는 듯, 조용히 창문을 두드리는 것 같다.

눈발이 흩날리는 소리를 들으면서, 의사는 유리창을 두들기는 작은 장밋빛 손가락을 본 것도 같다.

그는 아들 생각이 갑자기 들어 살짝 웃으며, 진료실을 떠났다.

넓은 방의, 옅고 푸른 램프 불빛에 카지오가 보모의 보호 속에 하양 침대에서 자고 있었다.

"카지오가 정말 기다렸어요. 정말 아빠를 기다렸어요. 저 아이는 잠옷으로 전혀 바꿔 입지 않으려고 했고, 만일 자신이 잠들면 깨워 달라고 요청까지 했거든요." 보모가 살짝 웃으며 작은 소리로 말했다. "아빠께 '안녕히 주무세요' 라고 인사하고 싶었던가 봐요. 오늘 할머니께서 선물로 주신 새 인형 -지팡이가 달려 있고 가면까지 쓴 익살스런 모습의 인형- 을 보여주고도 싶었거든요··· 또요, 아빠가 원하시면, 그 새 인형을 아빠께 선물하려고 하더라고요. 카지오가 받은 장난감 중 가장 아름다운 장난감이라면서요. 저 아이는 늘 새로 갖게 되는 장난감이 가장 아름답다고 여기나 봐요!"

보모가 이런 보고를 한 뒤 자리를 비우자, 의사는 자는 아들을 찬찬히 바라보았다.

— Kiel infanoj ŝanĝigas — pensis la doktoro— Kiam ĉi tiu etulo venis en la mondon, li estis tiel malbela, ke mi dubis, ĉu mi povos lin iam ekami. Poste li iom beliĝis kaj komencis min interesi —kaj hodiaŭ li estas belega, kiel kerubo, mia plej kara trezoro. Ne mirinde —li havas la malhelajn okulojn de la patrino kaj ŝian rideton.

En la kapon de la doktoro venis la penso, ke tiu ĉi infano estas la sola kreitaĵo, kiu lin amas sen ombro de egoismo.

Kiel li ĉiam adiaŭas la forirantan paĉjon! Kiel li petas sin sidigadi apud fenestro por vidi pli baldaŭ la revenantan paĉjon!

Kiel li terure sopiris, kiam la paĉjo devis foje forveturi por kelkaj tagoj!

— Neniam mi pensus, ke infano povas doni tiom da feliĉo — ekflustris la doktoro, profunde kortuŝita.

Subite lia rigardo falis sur bildon, kiu pendis super la liteto de Kaziĉjo. Ĝi estis donaco de la avino: belega angla kuprogravuraĵo, prezentanta Kriston. La Savinto sidis sur roko, surkreskita de floroj, post Li de malproksime tiris sin monta ĉeno kaj vojo, kies komencon kovris la vesto de la Savinto. La vizaĝo de Kristo estis eksterordinare belega, ĝi havis esprimon malgajan kaj ordonan, kiu tre bone harmoniis kun surskribo, metita sub la bildo per la mano de la avino: „Amu viajn malamikojn, bonfaru al tiuj, kiuj vin malamas kaj persekutas…"

'아이들은 얼마나 잘도 변하는지!' 의사는 생각했다. '이 귀염둥이가 세상에 태어났을 땐, 정말 못생겨 과연 나중에 내가 사랑할 수나 있을까 할 정도로 의심하였는데… 그러다가 나중에 조금씩 예뻐지니, 나도 관심이 가더니 - 오늘은 마치 커룹 천사[3]처럼 예쁘구나. 나의 귀하고 귀한 녀석… 놀랍지도 않네. 이 녀석이 제 엄마 검은 눈과 미소를 꼭 그대로 가졌네…'

의사는 자신의 머릿속으로 이 아이가, 아무 이기심 없이, 그를 사랑해 주는 유일한 존재이구나 하는 생각이 들었다.

언제나 자리를 비우는 아빠에게 작별 인사하려는 모습! 아빠가 곧장 돌아오시는 모습을 보려고 자신을 창가에 앉혀달라는 모습! 며칠간 아빠가 출장을 떠나야 할 때는 엄청 아빠를 그리던 모습!

"아이가 저리도 큰 행복을 가져다줄 줄은 꿈에도 몰랐네…" 깊이 감동한 의사가 작은 소리로 말했다.

갑자기 그의 눈길이 카지오가 누워 있는 침대 저위로 걸려 있는 그림 쪽으로 옮겨졌다. 그것은 할머니가 주신 선물이다: 그리스도 모습이 보이는 아름다운 영국산 동판 조각상이다. 그리스도가 꽃들로 뒤덮인 바위에 앉아 있다. 그분 뒤 저 멀리 산맥과 길이 뻗어 있는데, 그 길 시작 지점이 그리스도 옷에 가려져 있다.

그리스도 얼굴은 매우 아름답다. 그분 표정은 슬픔 속에 명령하는 듯하다. 그 표정은 할머니가 손수 쓰신, 조각상에 쓴 서명과 이상하게도 잘 어울렸다. "원수를 사랑하라. 또 너를 미워하고 박해하는 이들을 선하게 대하라…"

---

3) *역주: 가톨릭 성서에 나옴. 중세부터는 커룹(cherub)을 아기 천사로 표현하기도 함. 유럽의 성화 그림을 보면 포동포동한 아기 천사들이 있는 것을 케룹으로 그린 것일 수 있고, 아기 머리에 날개만 달린 형상으로 표현함.

— Mirindaj vortoj — parolis al si mem la doktoro. llin povis diri nur tiu Saĝulo, kies okuloj vidas ian alian mondon, ne la nian. Ĉar kian sorton havus en tiu ĉi mondo homo, pri kiu oni ekscius, ke li „amas siajn malamikojn"? Antaŭ la sekvanta tago restus al li unu sola ĉemizo, kaj en la daŭro de semajno oni elverŝus el li la tutan sangon.

— Ne, fileto — li ekflustris, kliniĝante super la lito, — ne amu viajn malamikojn kaj ne bonfaru al tiuj, kiuj vin malamas. Alie ekmankos al vi koro kaj fortoj por tiuj, kiuj vin amas.

— Ne faru tion, fileto, ne, ne!

En la sama momento elektra sonorilo en li antaŭĉambro eksonis tiel neordinare. ke la doktoro, mirigita, revenis en la kabineton.

— Jam estas preskaŭ la deka··· kio povus al iu okazi? — li diris al si mem.

“놀라운 말씀이네!” 의사는 자신에게 혼자 중얼거렸다. “저런 말씀을 하실 분은 저 현자뿐이야. 저분 눈은 우리 세계가 아닌 다른 세계를 보시는 것 같아… 이 세상에서 저분이 ‘원수를 사랑하라!’ 는 말씀을 이해하고 실천하는 사람이라면, 그 사람은 어떤 운명을 가질까? 그리 살면, 내일이면 셔츠 한 벌만 남게 될 거고, 일주일만 지나게 되면, 그 사람은 자신의 모든 피마저 쏟게 될걸.”

“안 돼, 아들!” 그는 침대 위로 몸을 숙이며 작은 소리로 말했다. “너는 원수를 사랑하지도 말고, 너를 미워하는 사람에게도 선을 행하지 마. 그렇지 않으면, 넌 너를 사랑하는 사람들에게만도 힘과 마음을 다해도 부족할 걸.”

“그렇게는 하지 마라, 아들아. 그렇게는 하지 않아도 돼, 안 해도 돼!”

그 순간, 이상하게도, 전실로 연결된 전기 벨이 울리자, 깜짝 놀란 의사는 아이의 침실을 떠나 자신의 진료실로 돌아왔다.

“10시가 다 되었는데… 무슨 일이지?” 그는 혼자 중얼거렸다.

Ĉapitro III

En la kabineton eniris maljuna homo kun longaj haroj kaj senorda barbo. Li estis vestita per eluzita mantelo, multloke blankigita de neĝeroj.

Ekvidinte lin, la doktoro ekpaŝis malantaŭen kaj demandis per tono, en kiu estis sentebla kolero kaj miro:

— Kio venigis vin al mi··· je tiu ĉi horo?

— Krupo··· — ekflustris la maljunulo — mia nepeto havas krupon··· li sufokiĝas···

La doktoro ekmovis la ŝultrojn. La maljunulo, vidante ĉi tion, malespere kunplektis la manojn kaj komencis paroli per raŭka voĉo:

— Sinjoro! Estu kompatema! Vere, mi rabis de vi la havaĵon··· Se vi volas, mi tion konfesos antaŭ juĝisto··· Sed kian profiton mi havas de tio? — Mizeron··· Mia filino, vidvino, vivtenas sin per kudrado, kaj havas nek sanon, nek laboron. Mi estas por vi krimulo, sed··· kion kulpis la infano? Ĝi havas nur ses jarojn··· Kaj ĉu ĝi devas suferi tiel terure tial, ke la avo estas krimulo? Batu min, metu min en malliberejon, sed kompatu la senkulpulojn! Kristo ja eĉ sur la kruco pardonis al siaj ekzekutintoj···

제3장

긴 머리에 헝클어진 수염의, 한 노인이 진료실로 들어왔다. 그는 낡은 코트를 입고 있고, 눈송이로 코트 여기저기가 하얗게 변해 있다.

그 노인 모습을 본 의사는 제 자리서 한 걸음 뒤로 물러섰다. 그러고는 분노와 화가 가득 담긴 어조로 물었다:

"당-신-이 내게 무슨 일이요… 이 시각에?"

"목에 염증이…" 노인이 작은 소리로 말했다. "어린 손자가 후두염에 걸렸네… 숨을 제대로 못 쉬고 있네…"

의사는 어깨를 으쓱했다.

그러자 노인은, 절망에 빠져 자신의 두 손을 꼭 잡고는, 쉰 목소리로 말하기 시작했다.

"의사 선생! 자비를 베풀어주게! 정말, 내가 자네 부친 재산을 가로챈 사람이네. 하지만… 자네가 원하면, 내가 판사 앞에 고백할 수도 있네… 하지만 그게 내게 무슨 이득이 되겠소? - 비참함만 남게 되겠지… 내 딸은, 과부가 되어, 삯바느질로 살고 있네. 건강도 잃고 직장도 없네. 자네에겐 내가 죄인일세, 하지만… 저 어린 손자가 무슨 잘못이 있겠는가? 저 아이는 이제 고작 여섯 살인데… 이 할아비가 죄인이라, 저 아이가 저렇게까지 고통을 받아야 하는 걸까? 날 때려, 날 감옥에 보내주게. 저 무고한 아이는 불쌍히 여기 주게! 참으로 그리스도께서는 십자가 위에서도 당신을 사지로 몬 집행자들을 용서하셨으니…"

— Aŭskultu min — diris la doktoro. - - Kiel kuracisto mi rajtas al neniu rifuzi helpon, sed kiel homo···

Li kaptis la spiron kaj parolis plu:

— Ĉu vi povas ĉi-momente enkudriligi fadenon?

— Vi ja vidas, kiel mi tremas··· —respondis la maljunulo, rigardante en liajn okulojn kun timego de batota hundo.

— Komprenu min, sinjoro — kontinuigis la kuracisto. — Al ĉiu alia infano mi farus operacion, krom al mia propra kaj al via. Ĉe la via mi ne estus certa pri mia mano, ĉar ŝajnas al mi, ke anstataŭ unu ĉerko, la ĉerko de mia patro, inter mi kaj vi troviĝus ankaŭ la dua — de via nepo··· ĉu vi tion komprenas?

— Mi komprenas, ke Dio min malbenis!

— Serĉu do alian kuraciston··· La honorarion···mi povas pagi···

— Ne estas jam tempo — parolis la maljunulo, kunmetante la manojn. — Ni loĝas proksime, en apuda domo. Mi ne povas jam iri pluen. Ĉe tiom da kuracistoj mi estis vane···

— Iru ankoraŭ al unu — respondis malvarme la doktoro.

La maljunulo, kvazaŭ freneza, komencis skui la manojn en la aero kaj bati la kapon.

"내 말을 들어보세요." 의사가 말했다. "의사로서는 누구에게도 도움을 거부할 권리가 없지만, 사람의 도리로는요…"

그는 한숨을 쉬고 계속했다:

"지금 이런 순간에 내가 수술 바늘에 실을 꿰맬 수 있겠어요?"

"내가 얼마나 떨리는지, 이보게…" 노인은, 곧 두들겨 맞을 개와 같은 두려움으로, 의사의 눈을 바라보며 작게 말했다.

"내 말을 이해해 주세요." 의사가 말했다. "나는… 내 아이와 당신 아이를 제외하고는, 다른 아이는 수술할 수 있어요… 당신 아이 수술에는 내 손이 확실하지 않을 거요. 왜냐하면, 제 선친의 관, 그 관 대신에, 당신과 나 사이에 또 다른 관이 놓이게 될 거요. 당신 손자의 관이요… 이해합니까?"

"신이 나를 저주했다는 것은 이해하네!"

"그럼 다른 의사를 찾으러 가 보세요… 비용은 내가 낼 수도 있어요…"

"시간이 없다네!" 노인이 손을 내저으며 말했다. "우리는 여기, 이웃에 살고 있는데… 이젠 갈 곳도 없네… 많은 의원을 찾아다녀 봐도…"

"의원 한 곳을 더 가 보세요…" 의사가 차갑게 답했다.

노인은 미친 사람처럼 허공에 손을 흔들고 자신의 머리를 때리기 시작했다.

— Mi iros — li diris — mi iros al mia agonianta nepo kaj preĝos, ke por pekoj de maljunuloj oni ne punu infanojn··· Dio, kompatu··· Dio··· Dio..kompatu! — li ekkriis.

Ŝanceligante li eliris el la ĉambro kaj post momento pezpaŝe malsuprenkuris de la ŝtuparo.

— Bonega li estas! — ekkriis la kuracisto. —Antaŭ jaroj li rabis de mi la havaaĵon kaj mortigis mian patron, kaj hodiaŭ li volus malbonigi al mi la reputacion. Tiun pacienton mi neniam tuŝus! Li alportus al mi malfeliĉon, same kiel lia nobla avo.

Finite! Finite!

La eminenta ĥirurgo estis tiel emociita, ke li tremis.

“내가 가겠네.” 그는 말했다. “죽어가는 손자에게 가서, 그 아이가 이 늙은이 지은 죄로 그 아이가 벌 받지 않도록 기도하겠네… 하나님, 자비를 베푸소서… 하나님… 하나님, 자비를 베풀어주십시오!” 그는 소리쳤다.

노인은 비틀거리며 그 진료실에서 나가, 잠시 후 무거운 발걸음으로 계단을 서둘러 내려갔다.

“저 사람이야 당연히 그리되어야지!” 의사가 외쳤다. “몇 년 전에는 저 사람이 우리 집 재산을 뺏더니, 아버지도 돌아가시게 했고, 오늘은 저자가 내 명예를 훼손하려고 하니… 나는 저 집 환자는 절대 건드리지 않을 거야! 저 손자 아이가, 그의 저 고상하다는 할아버지처럼 내게 불행으로 다가올 거야… 끝이야! 끝!”

그 뛰어난 외과 의사는 너무 흥분해 몸을 떨었다.

Ĉapitro IV

La doktoro komencis paŝi laŭlonge de la kabineto kaj murmuri:

— Krupo… aĉa okazo… Por kio venis ĉi tien tiu maljunulo? Mi estas certa, ke lia tuta malpura vesto estas trapenetrita de la infekto. Jen estas la ordo de la mondo! La krimulo, kiam li havis forton, rabis de mi la patron kaj havaĵon, kaj hodiaŭ, maljuniginte, li infektiĝas kaj atakas mian hejmon.

La doktoro iris al la lavujo kaj lavis la manojn per malforta solvaĵo de sublimato. Poste li prenis ŝprucigilon, plenigis ĝin per fortodora fluidaĵo kaj, vokinte la lakeon, lasis sin surŝprucigi de la piedoj ĝis la kapo.

La vorto „krupo" tiel lin maltrankviligis, ke li volis nepre rigardi Kaziĉjon, kaj timis samtempe, ke la infekto ne transportigu al lia filo. Ankoraŭ foje li lavis la manojn, ŝanĝis la surtuton, kaj flustrinte: „sensencaĵo", iris en la dormoĉambron de la infano.

Mirigis lin tio, ke kvankam li multfoje komunikadis sin senpere kun pacientoj, infekte maisanaj, nur hodiaŭ li ektimis, ke lia filo povus infektigi.

제4장

의사는 진료실을 길이 방향으로 걷기를 시작하면서 혼잣소리로 말하기 시작했다.

"후두염이라고!… 나쁜 사례야… 도대체 저 늙은이는 왜 여길 온 거야? … 저 늙은이의 더러운 옷 전부가 페스트에 감염된 게 틀림없다… 이게 세상 질서다!… 저 죄인이 힘이 있을 때는 내 집 재산도, 내 아버지도 뺏더니, 오늘은 저자가 늙고 감염되어 우리 집에까지 찾아오다니…"

의사는 세면장으로 가서, 약한 세정제로 손을 씻었다.

그런 다음 그는 분무기를 가져다가, 그 안에 강한 냄새 나는 액체를 채우고, 하인을 불러, 머리부터 발끝까지 뿌리라고 명했다.

'후두염' 이라는 단어에 그는 큰 걱정이 생겨, 아들 카지오를 다시 보고 싶지만, 동시에 그의 아들에게 전염될까 두려웠다.

그는 다시 한번 손을 씻고, 프록코트로 갈아입고 "쓸데없는 생각이야!" 라고 속삭이며 그 아들 침실로 갔다.

그는 과거에도 셀 수 없이 전염병 환자들과 직접 접촉해도 그때에는 무관심하게 지냈는데, 오늘에야 아들이 감염될까 두려워하는 사실에 스스로 놀랐다!

La infano dormis trankvile, sed en la emociita imago de la doktoro komencis aperadi nedifinitaj suspektoj. Ĉu Kaziĉjo ne tro rapide spiras? Ne tre, sed iomete tro rapide··· Ĉu liaj vangoj ne estas tre ruĝaj? Ĉu en la fizionomio ne vidiĝas tiu malagrabla esprimo, kiu anoncas lian sanon? Ne. La infano dormas kviete; ŝajnas, ke ĝi eĉ ridetas.

Malgraŭvole levis la doktoro la kapon kaj rigardis la kuprogravuraĵon, prezentantan Kriston. Subite li ekŝanceliĝis. Li frotis la okulojn kaj legis la surskribon: „Amu viajn malamikojn··· bonfaru al tiuj, kiuj vin malamas kaj persekutas···"

La roko, surkreskita de floroj, restis. La montĉeno en la profundo restis··· Kaj estas videbla la vojo, ta tuta vojo···eĉ tiu ĝia parto, kiun kovris la vesto de Krist-o··· Eĉ tiu arbusto sur la roko, kiun ĝis nun neniu el vivantoj vidis, nek povis vidi, ĉar tiu arbusto ankaŭ estis koyrita per la maniko de la Savinto. Sed nun videbla estas jam la tuta vojo, eĉ la arbusto, kiun nenio plu kovras, ĉar Kristo··· malaperis!

En la unua momento la doktoro ne estis eĉ mirigita. Ŝajnis al li, ke ĝuste tiel devas esti, ke Kristo estis tie superflua. Sed ree li rigardis la surskribon: „Amu viajn malamikojn", kiu ne povis ja koncerni la solan pejzaĝon.

아이는 평화롭게 잠을 자고 있지만, 의사의 짜증 섞인 상상 속에서 막연한 의혹이 생기기 시작했다. 카지오의 호흡이 빠른 것이 아닌가? 그리 빠른 것은 아니지만, 뭔가 너무 빠른 것 같기도 하다. 저 아이 얼굴이 너무 빨개진 것 아닌가? 저 아이 건강상태를 알리는 관상학적으로 불쾌한 표정은 있지 않은가. 아니야. 저 아기가 평온하게 자고 심지어 웃는 것 같기도 하네.

무심결에 그 의사가 고개를 들어, 그리스도를 묘사한 그 동판 조각상이 보였다… 갑자기 그는 깜짝 놀라 비틀거리며… 자신의 눈을 비비고는, 그 조각상 아래의 문구를 읽어 보았다.

"원수를 사랑하라… 또 너를 미워하거나 박해하는 자를 선하게 대하라…"

꽃으로 덮인 바위는 그대로다… 깊은 곳의 저 언덕도 그대로다… 거기에는… 그런데 길 전체가 보인다… 심지어 그 길 일부도… 그리스도 옷에 덮였던 길도 그대로다… 그런데 지금까지 살아있던 사람 중 아무도 보지 못한, 또 지금까지 보이지도 않던 바위 위의, 작은 딸기나무도 볼 수 있다. 왜냐하면, 지금까지는 그 낮은 키의 딸기나무는 그리스도의 옷 소매에 가려져 있었다. 하지만. 지금은 온전히 길 전부가 다 보였고, 그 낮은 키의 딸기나무조차도 이제는 아무것으로도 가려지지 않은 채 다 보였다! 왜냐하면, 그리스도가 서 계시던 그 자리에… 그리스도 모습이 온데간데없다!

처음에는 의사는 전혀 놀라지도 않았다.

그에게는 그리스도 모습이 그 조각상에 필요 없는 것이 당연한 것처럼 여겼기에. 하지만 다시 그는 "원수를 사랑하라." 라는 문구를 보니, 이 또한 그 유일한 풍경과는 무관한 것처럼 보였다.

Kaj fine tiu pejzaĝo sen la homo, la pejzaĝo, kiun la doktoro rigardadis ĉiutage de ses jaroj, kaj sur kiu ĉiam estis Kristo kun vizaĝo ordona kaj malĝoja, kaj kun okuloj, enrigardantaj alian mondon···

Nun la doktoro eksentis sin en tia animstato, pri kiu li ĝis nun neniam eĉ pensis. Naskiĝis en li nova, ne sole nekonata, sed eĉ neniam antaŭsentita sento. Li deprenis la gravuraĵon de la muro, palpis ĝian kadron, vitron··· Li transportis ĝin en la kabineton kaj tie rigardis ĝin atente ĉe forta lumo de la lampo.

Sed ĉio estis vana: Kristo ne estis tie plu.

Subite venis en lian kapon la terura ideo, ke li estas freneza. Li volis ĵeti teren la bildon, kunvoki la servistojn, venigi kuracistojn, kaj eĉ kuri sur straton kaj krii:

— Rigardu, kio kun mi okazis! Mi ja perdas la prudenton!

Sed li rememoris pri la edzino, kaj tio lin rekonsciigis. Li akiris almenaŭ parte la sinregadon kaj decidis moderi sian frenezon, ke la edzino ne rimarku tion tuj, sed pretigu iom post iom al la malfeliĉo.

La edzino! Ĉu ne la edzino riproĉis al li antaŭ duonhoro nekredemon kaj, kiam li aludis pri bezono de iu signo flanke de Dio, ĉu ne ŝi diris, ke la signoj de Dio estas teruraj kaj ke oni ne devas ilin provoki?

그리고 마지막으로, 그분이 없는 이 풍경이라니.

의사가 6년 전부터 매일 보아온 풍경, 거기에는 그리스도께서 항상 계시면서도 명령하는 듯하고 슬픈 표정으로 다른 세계를 바라보고 계셨는데…

이제 의사는 이전에는 한 번도 생각해 본 적이 없는, 이상한 기분을 느꼈다.

그가 모른 채 있었던 또 심지어 예상치 못한 새 감정이 떠올랐다.

그는 벽에 부착된 동판 조각상을 떼 내어, 그 틀과 유리를 직접 손으로 살펴보고는… 그 조각상을 자신의 진료실로 가져가, 거기에서 강한 램프 불빛으로 살펴보았다…

그러나 모두 소용없는 일이다: 그리스도 모습은 거기에도 없다!… 갑자기 그는 자신이 미쳐버린 것이 아닌가 하는 끔찍한 생각이 들었다…

그는 그 조각상을 땅에 내던지고 싶은 생각으로 하인들을 부르고, 의사도 부르고, 심지어 거리로 달려가 소리치고 싶었다:

"나에게 무슨 일이 일어났는지 보세요! 내가 미쳐가고 있어요!"

그러나 그는 아내 생각이 나, 정신을 차렸다. 그는 최소한의 자제력을 되찾았고 아내가 즉시 눈치채지 못하도록 자신의 광기를 억제하고 점차 벌어질지도 모를 불행에 대비하기로 마음을 다잡았다.

아내였구나!

30분 전에 그의 신앙심 없음을 질책한 것은 아내가 아니던가? 그리고 그가 하나님 쪽에서 뭔가 징표를 필요함을 암시했을 때, 하나님 징표란 끔찍하니, 사람이 그 징표를 소환하면 안 된다고 말한 것은 아내가 아니던가?

— Signoj? Do tio ĉi povus esti signo. — flustris li per blankigintaj lipoj. — Signoj de kio? Ke oni devas ami malamikojn? ke oni devas bonfari al tiuj, kiuj agis kontraŭ ni maljuste?··· ke··· oni devas iri al tiu maljunulo kaj savi lian nepon?

Li metis la gravuraĵon sur la tablon, kovris ĝin per paperoj kaj, kurinte al la ŝranketo, komencis rapide elprenadi ilojn kaj bandaĝojn, ripetante maŝine kaj senscie:

„Sublimato··· vato.., tubetoj··· kudriloj··· pasamento··· jes, pasamento···"

— Mi devas savi tiun kompatindan infanon, kaj eble kune kun ĝi mi savos mian prudenton!

Estis apenaŭ kvarono post la deka, kiam la doktoro sonorigis al plej proksima subĥirurgo, kiun li konis.

— Ĉu vi povas asisti min ĉe traĥeotomio? — li demandis la subĥirurgon.

— Se vi eĉ, sinjoro doktoro, volus fortranĉi al mi la kapon, kaj poste realkudri ĝin, mi ankaŭ asistus!" — ekkriis la subĥirurgo, ravita per la tasko, kiun proponis al li la eminenta kuracisto.

"징표라니? 그럼 이게 징표란 말인가?"

그는 하얗게 질린 입술로 조용하게 되풀이해 말했다. "뭐에 대한 징표란 말인가? 사람들은 자신의 원수를 사랑해야만 하는가? 또 우리 자신에게 뭔가 부당하게 행동한 이들에게도 선의를 베풀란 말인가? … 또… 그런 불공정한 이를 벌인 사람들을 찾아가, 그의 손자 목숨을 구해줘야 한단 말인가?"

그는 동판 조각상을 진료실 탁자에 놓고는 종이로 덮은 다음, 옷장으로 달려가 재빨리 치료 도구와 드레싱 용품들을 꺼내기 시작했으며 기계적으로 반복적으로 말했다:

"소독제… 면… 튜브 …바늘… 꿰매는 실 …그래, 꿰매는 실…"

"내가 이 불운한 아이를 구해야 하고, 어쩌면 그 아이와 함께 내 마음도 구원을 받아야 할지도 모른다!"

의사가 자신이 아는, 가장 가까이 사는, 수술을 도울 조수 외과 의사에게 전화를 걸었을 때는 시각이 10시 15분이었다.

"기관 절개술 수술할 때 도와줄 수 있나요?" 그 의사가 조수로 데리고 갈 후배이자 보조 외과 의사에게 물었다:

"박사님이 제 머리를 자르라고 하셔도, 또다시 꿰매라고 하셔도, 제가 도와 드려야지요! "

저명한 외과 의사가 요청하는 왕진 수술에 그 보조 외과 의사가 동행하게 되어 감격하여 외쳤다.

Ĉapitro V

La doktoro kaj la subĥirurgo facile trovis la loĝejon de la maljunulo kaj lia filino kaj samtempe eksciis, ke la serĉataj de ili loĝantoj estas tre malriĉaj. La domgardisto, ricevinte de la doktoro kelkajn kopekojn, elokventiĝis kaj rakontis, ke tiuj gesinjoroj ŝuldas por karbo, faruno kaj pano; ĉar ili ankaŭ ne pagas la luopagon, la dommastro forpelos ilin el la loĝejo la plej proksiman okan de monato.

— Diru al la dommastro kaj al la butikisto, ke tiuj gesinjoroj ĉion pagos — diris la doktoro.

— Kaj ĉu vi scias, kiu garantias — ekkriis al la gardisto la subĥirurgo. — La plej lerta doktoro en Varsovio, al kiu tiaj homoj, kiel via mastro, ne indus purigi la ŝuojn!

— Ne estu tiel fervora, kolego — admonis lin la doktoro per malkontenta tono. — Morgaŭ —li reparolis al la gardisto— la kalkuloj de tiuj gesinjoroj estos pagitaj, kaj dume vi ankaŭ servu al ili kaj vi estos rekompencita.

Tiel parolante, la doktoro aŭskultis siajn proprajn vortojn por esplori, ĉu ili estas logikaj.

제5장

그 외과 의사와 조수 외과 의사는 그 노인과 노인 딸이 사는 건물을 쉽게 찾을 수 있었고, 동시에 그들이 찾아간 환자 집의 살림살이가 매우 가난한 것도 알게 되었다.

그 건물 관리인은, 의사로부터 몇 즐로티[4]를 받고는, 용기를 얻고는, 곧장 그 환자 가족이 석탄, 밀가루와 빵도 빚지고 살고 있다고 했다… 그리고 그 환자 가족은 집 임차료도 내지 않아 빠르면, 이달 8일에 내보낼 예정이라고도 했다.

"건물주인과 가게 주인에게 밀린 그 모든 걸 내가 지급하겠다고 전해 주십시오." 그 의사가 말했다.

"누가 보증하는지 아는지요?" 조수인 외과 의사가 건물 관리인에게 말했다. "당신 건물주인 같은 사람들은 발뒤꿈치에도 가지 못할, 바르샤바 최고의 능력을 갖춘 의사 선생님이거든요!"

"글쎄, 동료님, 그 일에 너무 열성을 보이지는 말게…" 의사가 불만인듯한 어조로 그 보조 의사를 나무랐다.

그는 몸을 돌려 건물 관리인에게 다시 말했다.

"내일이면 그동안 밀린 것들을 정리할 겁니다. 또 그사이라도 당신이 저이들을 위해 봉사하면, 그 보상은 당연히 받을 겁니다."

의사는, 이렇게 말하면서, 자신의 문장이 얼마나 논리적인지 확인하기 위해 자신의 문장을 되뇌어보았다.

---

4) *역주: 원문에는 폴란드 화폐단위 즐로티. 에스페란토 번역문에서는 Kopeko로 표현됨.

Li devis konfesi, ke, kvankam ilia enhavo estis nova, ili elmontris tamen neniajn signojn de frenezo.

La maljunulo kaj lia filino okupis unu malgrandan ĉambreton sur la tria etaĝo. Enirinte tien, la doktoro rimarkis, ke en la loĝejo estas malvarme, kaj ke nek sur la kameno, nek sur la tablo vidiĝas almenaŭ restaĵoj de ia nutraĵo.

Sur unu lito kuŝis la maljunulo, kovrante la kapon per la manoj; sur la alia sidis virino, iam eleganta, nun mizeriĝinta, kun sesjara infano en la brakoj. La infano havis vizaĝon tre ruĝan, ŝvelintan kolon, malfacilan spiradon kaj tuson similan al bojado. Kelkfoje la spirado tute haltadis, kaj tiam la infano per maltrankvilaj movoj etendadis la manojn al la malesperanta patrino, aŭ ŝiris sur si la malnovan vesteton. Oni povus pensi, ke ĝi jam agonias.

Kiam la doktoro kaj post li la subĥirurgo aperis en la ĉambro, la virino ekkriis pro ĝojo kaj la maljunulo saltleviĝis, sidiĝis sur la lito kaj per senpensaj okuloj rigardis la venintojn.

— Patro··· Dio kompatema··· Joĉjo estos savita···— parolis la virino.

Sed post momento nova timo ekregis ŝin:

— Ĉu la operacio estas nepra, sinjoro? ĉar···

— Leonjo — respondis la maljunulo. — vi ja scias, vi mem postulis operacion··· vi ja vidas, en kia stato li estas.

그는 그 내용이 새로운 것이지만, 그 안에 전혀 광기의 흔적이라고는 없음을 인정해야 했다.

그 노인과 그의 딸은 그 건물 3층의 작은 방에서 살고 있었다. 그 집 안으로 들어서니, 의사는 방이 춥고 벽난로나 탁자에 먹거리가 전혀 없음을 알아차렸다.

한 침대에 노인이 누워, 두 손으로 머리를 가리고 있다; 다른 한 침대에는 한때 우아했으나 지금은 초췌해진 여인이 여섯 살짜리 아이를 품에 안고 앉아 있다.

아이는 얼굴이 매우 붉어졌고, 목이 부어올랐으며, 호흡이 곤란하고, 개 짖는 소리와 비슷한 기침을 했다.

때로는 그런 호흡도 완전히 멈췄는데, 그때 아이는 급작스러운 움직여, 당황해하는 엄마를 향해 팔을 뻗기도 하고, 자신의 낡은 옷을 찢기도 했다.

그가 이미 질식해 죽어가고 있다고 생각할 정도였다.

방에 그 외과 의사와 보조 의사가 모습을 보이자, 그 여인은 기쁨의 비명을 지르고, 노인은 벌떡 일어나 침대에 앉아, 미처 생각할 틈이 없는 놀란 눈으로, 들어선 사람들을 바라보았다.

"아버지… 자비로우신 하나님… 헨젤[5]은 이제 구원받게 되었습니다!" 여자가 말했다.

그러나 얼마 후 새로운 두려움이 그녀를 사로잡았다:

"선생님, 꼭 수술이 필요한가요? 왜냐하면…"

"레오시아[6] " 노인이 말했다. "알다시피… 에미가 직접 수술을 요청했으니… 저 아이에게 무슨 일이 일어나는지 알잖아…"

---

5) *역주: 원문에는 헨젤. 에스페란토 번역문에서는 요초Joĉjo.
6) *역주: 원문에는 레오시아. 에스페란토 번역문에서는 레오뇨Leonjo

— Do mi ĉeestos ĝin, mi devas ĝin ĉeesti··· mi lin tenos··· — ekkriis ŝi decide:

— Pardonu — interrompis la doktoro, reakirante sian ordinaran trankvilon, kiu kun nevenkebla forto ĉiam influadis malsanulojn kaj iliajn familianojn — ĉu estos necesa operacio kaj kia, pri tio ni devas ankoraŭ konvinkiĝi. Dume bonvolu al mi havigi··· varmegan kamomilon.

— Mi ne havas varmegan akvon, nek kamomilon··· — flustris la virino.

— Turnu vin do al la domgardisto, kiu faciligos tiun ĉi aferon. Mi dume esploros la knabon.

— Terura stato, ĉu ne vere, sinjoro?

— Por patrino — jes, por kuracisto — ne. Mi rememorigas pri varmega kamomilo.

La virino elkuris el la ĉambro, kaj la subĥirurgo tuj malfermis grandan skatolon, kiun li estis kunportinta, kaj komencis eligadi el ĝi ilojn, bandaĝojn kaj eĉ botelegon da akvo.

— Sinjoro — diris la doktoro al la maljunulo - la operacio estas necesa, kaj ni tuj ĝin faros.

— Ĉu vi ne atendos mian filinon?

— Mi ne pensas, ke ŝia ĉeesto helpos al ni.

La subĥirurgo ekbruligis lampeton, provizitan je reflektilo kaj refraktilo, ĵetis sur la tableton kelkoble kunmetitan kovrilon, sur tion — kusenon, kaj sur ilin metis zorgeme la apenaŭ spiregantan infanon.

"그럼 제가 거기 있을게요. 제가 거기 있어야 해요. 제가 저 아이를 붙들고 있을 거예요!" 그녀는 힘차게 외쳤다.

"잠깐만요." 의사는 평소의 평온함을 되찾고 말을 끊었다. 그 모습이 환자와 그 가족을 저항하지 못하게 하는 힘을 보여주었다. "수술이 필요한지, 어떤 종류의 병인지 우리가 알아보겠습니다. 그동안 애기 어머니는 친절하게도 우리에게… 뜨거운 카밀레 차를 좀 준비해 주세요…"

"저희는 뜨거운 물도 없고, 카밀레 차도 준비된 게 없어요." 여자가 작은 소리로 말했다.

"그러면 이 건물 관리인에게 가면, 그이가 일을 더 쉽게 해 줄 거요. 그동안 나는 저 아이를 진찰해 보겠습니다."

"저 애 상태가 너무 안 좋지요! 그렇지 않아요, 선생님?"

"어머니가 보면… 그럴 겁니다. 의사가 보면… 아직은 아니에요. 뜨거운 카밀라 차 생각이 나요."

여자는 방에서 뛰쳐나갔고, 곧장 조수 의사는 자신이 가지고 온 큰 상자를 열고, 의료용 도구와 붕대, 심지어 대형 물병도 꺼내기 시작했다.

"어르신," 의사가 노인에게 말했다. "수술이 필요합니다. 저희가 곧 시술하겠습니다."

"내 딸을 기다리지 않고요?"

"제 생각에는 따님이 있으면, 우리에게 도움이 될 것 같지 않습니다."

조수 외과 의사는 반사경과 굴절기능을 갖춘 램프에 불을 켜고, 테이블 위에 여러 겹으로 접은 담요를 놓고 그 위로 베개를 던져 놓고는, 간신히 힘들여 숨을 쉬는 아이를 그 위로 조심스럽게 뉘었다.

Vidante tion ĉi, la maljunulo falis sur sian mizeran litaĵon kaj, plorĝemante, ĉirkaŭvolvis la kapon per sia mantelo.

Dume lia filino kuris malsupren al la pordisto, petegis timeme, ke li bonvolu prunti al ŝi varmegan kamomilon kaj, garantiis per honorvorto, ke kiam ŝia fileto resaniĝos, ŝi tuj komencos labori, pagos ĉiujn ŝuldojn, kaj antaŭ ĉio —tion, kion ŝi ŝuldas al li, al la gardisto.

Granda estis tamen ŝia miro, kiam la gardisto deprenis antaŭ ŝi la ĉapon, petis, ke ŝi bonvolu sidiĝi, kaj diris, ke li ĉion faros por ŝi volonte, ĉar la sinjoro doktoro certigis, ke ilia kalkulo en la butiko kaj la ŝuldo por la loĝejo estos jam morgaŭ pagitaj.

Dirante tion ĉi, la gardisto disblovis fajron en malgranda fajrujo kaj boligis akvon, antaŭ ol lia edzino alportis el apoteko kamomilon.

Ricevinte la varmegan kamomilon, la kompatinda patrino portis ĝin supren. Sed ŝia koro senmoviĝadis ĉe la penso, ke ĝuste nun atendas ŝin la plej malfacila momento.

Ŝi ŝajne jam estis decidita je la operacio, sed en la kritika momento ŝi eksentis, ke ŝi perdas la kuraĝon. Kion ŝi faros, se la doktoro diros, ke la operacio estas nepra? Oni buĉos la infanon antaŭ ŝiaj okuloj. Dio kompatema!

이 광경을 본 노인은, 자신의 허름한 침대에 쓰러져, 자신의 머리를 자신의 외투로 감고 흐느껴 울었다.

그러는 동안 그 노인의 딸은 아래층으로 내려가서는 건물 관리인에게 달려가, 뜨거운 카밀레 차를 좀 빌려달라고 소심하게 간청했다.

그러고는 아들이 회복되면 즉시 일하러 가서, 그간의 빚은, 특히 무엇보다 먼저, 그 관리인에게 빚진 것부터 갚겠다고 단단히 약조했다.

그러나 그 건물 관리인이 그녀 앞에 모자를 벗고 그녀에게 잠시 앉으라고 권하고는, 기꺼이 그녀를 위해 모든 것을 하겠다고 말했을 때 그녀 놀람은 얼마나 컸던가.

왜냐하면, 그 의사 선생님이, 그곳 상점에 진 빚과, 그 집 임차료는 이미 내일이면 지급이 될 걸 확신하고 있었기에.

이렇게 말하면서, 건물 관리인은 자신의 작은 난로에 불을 지피고는, 관리인 아내가 약국에 가서 카밀레 차를 가져오는 동안, 물을 끓였다.

그 불쌍한 어머니는 뜨거운 카밀레 차를 받아들고는 위층의 자신의 방으로 가져갔다.

하지만 이제 지금 가장 어려운 시험이 자신을 기다린다는 생각에 그녀는 마음조차도 무거워 꼼짝할 수도 없다.

그녀는 이미 아들 수술을 결정했지만, 결정적 순간에 자신에게 용기가 없어진 것을 느꼈다.

의사가 수술은 꼭 해야 한다고 하면 그녀는 어떻게 할 것인가?

아이가 그녀 앞에서 죽게 될지도 모른다….

자비로우신 하나님!

Ŝi ekstaris sur la sojlo kaj per timplenaj okuloj rigardis la ĉambron. La subĥirurgo lavis la manojn apud la kameno, la doktoro ion esploris ĉe tre luma lampo, ŝia patro, sidante sur la lito, ridetis senpense.

Kaj sur la dua lito kuŝis Joĉjo. Lia vizaĝeto, anstataŭ ruĝa, estis pala, li havis bandaĝitan kolon, sed ne baraktis plu, aspektis pli trankviie, kaj antaŭ ĉio — ne spiregis tiel terure, kiel antaŭ ŝia foriro.

— Nenia operacio estos jam necesa —ekparolis la doktoro. — Malgranda tranĉo estas jam farita, kaj mi estas preskaŭ certa, ke la infano estos sana.

La virino aŭskultis ravita, ne kredante al siaj oreloj.

— Mia helpanto — kontinuigis la doktoro — restos tie ĉi dum la nokto, kaj li ŝanĝados la bandaĝon, ne vi. Se okazos io grava, pri kio mi dubas, li sciigos min. Morgaŭ vi kun la patro kaj la infano translokiĝos en kuracejon. Vi ĉiuj bezonas komforton kaj ripozon, kiun oni ne povas havi en tiu ĉi loĝejo.

— Ni ne havas monon por kuracejo — flustris la virino kun timo, proksimiĝante surfingre al la infano.

— Vi havos, kaj ĉion vi pagos mem, el viaj propraj enspezoj, tiel vi, kiel via patro.

Dirinte tion ĉi, la doktoro surmetis la mantelon, surtiris la ĉapon sur la kapon kaj rapide eliris el la ĉambro.

그녀는 자신의 집 출입 문턱에 서서 겁에 질린 눈으로 방을 쳐다보았다. 보조 외과 의사가 벽난로 옆에서 손을 씻고 있고, 수술하는 다른 의사는 매우 밝은 램프 옆에서 무언가를 바라보고 있고, 그녀 아버지는 침대에 앉아, 무심결에 미소 짓고 있다.

또 다른 침대에는 헨젤이 누워 있다.

그의 얼굴은 붉어져 있다고 하기에는 창백해 있고, 목은 붕대가 감겨 있어도, 더는 몸부림이 없이 차분한 모습이다. 그러고 무엇보다도 그녀가 이 방을 떠나기 전처럼 그렇게 숨을 헐떡거리지도 않고 있다.

"이젠 다른 수술은 필요하지 않을 거요." 의사가 말했다. "절개를 조금 했습니다. 아이는 건강할 거라고 거의 확신해요."

여자는, 자신의 귀를 믿을 수 없다는 듯이, 매료된 채 듣고 있었다.

"내 조수 선생님이" 의사는 계속해 말했다. "가족은 아니지만, 조수 선생님이 여기 밤새 머물면서 붕대를 바꿔주는 처치를 해줄 겁니다. 그사이 내가 의심하는 중요한 일이 발생하면 저분이 내게 알려줄 것입니다. 내일은, 아버님과 함께, 애기 어머니 당신도, 저 애기도 제가 있는 병원으로 이사를 하게 됩니다. 여러분 모두는, 이 집에서 누릴 수 없는 편안함과 휴식이 필요하거든요."

"우리는 그 병원에 가서 살 돈이 없어요!" 여자는 발을 조심조심 들어 아들에게 다가가며, 겁에 질린 목소리로 조용히 말했다.

"애기 어머니, 당신은 그 돈 벌면 됩니다. 또 그 소득으로 그걸 모두 갚으면 됩니다. 당신도, 당신 부친처럼요."

이 말을 하고서 의사는 외투를 입고 모자를 머리에 씌우고 재빨리 그 방을 빠져 나갔다.

Sed sur la ŝtuparo iu haltigis lin: tio estis la maljunulo. Li surgenuiĝis antaŭ la kuracisto kaj plorante kisis liajn manojn.

그런데 계단에서 누군가 그를 멈춰 세웠다. 그 노인이었다. 그는 의사 앞에 무릎을 꿇고 울먹이며 그의 손에 키스했다.

Ĉapitro VI

Ĉerski revenis hejmen preskaŭ gaja. En la daŭro de ne pli, ol unu horo, trafis lin kelkaj eksterordinaraj okazoj, el kiuj, se li rajtas juĝi, li eliris —se ne venke — almenaŭ neriproĉinde.

Se la mirinda okazo kun la gravuraĵo estis halucinacio, neniel tamen la doktoro estis minacata de freneziĝo. Ĉar li ne sole ne perdis eĉ por momento la konscion kaj prudenton, sed leviĝis sur ankoraŭ pli altan ŝtupon de morala evolucio, kaj tio ne estas frenezo.

Kaj se la malapero de la Kristobildo estis la „signo", ankaŭ tiuokaze nenio devus al li minaci. Li ja plenumis la ordonon, bonfarante al tiuj, kiuj agis maljuste kontraŭ li.

Malgraŭ tiel prava rezonado la doktoro, proksimigante al sia loĝejo, sentis kreskantan maltrankvilon.

Kaj se la figuro de Kristo malaperis, ĉe la kupro-gravuraĵo, efektive malaperis, senrevene malaperis, tiam···kio?

제6장

체르스키 박사는 거의 유쾌한 기분으로 집으로 돌아왔다.

한 시간도 채 안 되어 그는 몇 가지 특별한 일을 경험했고, 만일 그가 판단할 수 있는 한, 그는 승리하지는 못해도 적어도 비난받지 않을 정도로 진료하고는 귀가했다.

만일 동판 조각상과 관련한 이 놀라운 사건이 환각이었다면, 의사가 미쳐버릴 수 있는 위험은 전혀 없다.

그는 한순간도 의식이나 이성을 잃지 않았을 뿐만 아니라 도덕적 발전의 더 높은 수준까지 올라갔기에, 이는 광기의 징후가 아니다.

그리고 만일 그리스도 형상이 사라진 것이 "징표" 라고 한다면, 더 이상 그것이 그에게 위협이 될만한 것은 아무것도 없다. 그가, 그 자신을 부당하게 대했던 그런 사람들에게 자선을 베풀었고, 정말로 그리스도 명령을 수행하였으니,

그러한 타당한 추론에도 불구하고 그 의사는 자신의 거주지로 다가갈수록 점점 불안해졌다.

그리고 만약 그리스도 모습이 그 동판 조각품에서 사라졌다면, 정말 사라졌으니, 돌이킬 수 없게 사라진 채로 있다면… 그렇다면 어떻게 될까?

Tiu terura gravuraĵo devos esti kaŝita de la edzino, kiu ĝin konsideris unu el plej karaj relikvoj, ĝi devos esti kaŝita de Kaziĉjo, kiu ĉiutage, matene kaj vespere, diradis antaŭ ĝi siajn mallongajn preĝetojn.

Kaj tiuokaze Kristo estus pereinta ne sole por li, sed por tiuj, kiujn li plej multe amas.

La doktoro malfermis la pordon de sia antaŭĉambro, fordonis la mantelon kaj ĉapelon al la servisto, kaj, kolektinte sian tutan kuraĝon, eniris per decida paŝo en la kabineton. En tiu momento ŝajnis al li, ke li iras kontraŭ ion, kio estas pli terura, ol la morto mem, ke li kvazaŭ ludas paron-malparon por animsavo aŭ kondamno. Ĉar, ĉu malgraŭ ĉiuj teorioj kaj filozofiaj sistemoj, ne meritus titolon de malbenito tiu, el kies domo en tiel neordinara maniero foriĝis Kristo?

La doktoro proksimiĝis al la tablo, per nerva movo forĵetis la paperojn, kovrantajn la gravuraĵon, kaj rigardis.

Sur la roko, kovrita de floroj, sidis Kristo kaj rigardis la honestan nekredulon per saĝaj kaj malgajaj okuloj, en kiuj bruletis misteroj de senlimeco. Do Li ree estas ĉi tie, ree rigardas do Li ne forlasis lian hejmon kaj ne ĉesos kortuŝe benadi lian laboradon, lian bonan edzinon kaj senkulpan infanon. La 22an, Majo 1899.[7](*)

---

7) *Traduknoto: En Esperantigita teksto ne troviĝas tiu ĉi frazo. Pro tio Ombro enmetis ĝin.

그 끔찍한 동판 조각상을, 이를 가장 귀중한 유산 중 하나로 여겨온 아내가 못 보도록 숨겨야 했다.

매일 아침저녁으로 저 동판 조각상 앞에서 자신의 짧은 기원을 말하는 아들 카지오도 이를 못 보게 해야 했다.

그러면 그 경우에 그리스도는 그뿐만 아니라 그가 가장 사랑하는 사람들을 위해서라도 사라져야 할텐데!…

그 의사가 자신의 전실 출입문을 열고, 하인에게 외투와 모자를 건넨 다음, 자신의 용기를 다해 단호하게 자신의 진료실 안으로 걸어 들어갔다.

그 순간, 그는 죽음 그 자체보다 더 끔찍한 뭔가에 직면해 가고 있는 것 같고, 구원이냐 아니면 저주냐 하는 우연의 게임을 하는 것 같았다.

왜냐하면, 이 모든 이론과 철학적 체계에도 불구하고, 그리스도께서, 그토록 비정상적 방법으로, 자신의 집에서 자신을 쫓아낸 사람은 당연히 단죄받아야 하는 자라는 칭호를 받아야만 하지 않을까?

그 의사는 진료실 탁자로 다가가, 그 동판 조각상을 덮고 있던 종이를 미친 듯이 내던지고, 그 조각상을 살펴보니…

그리스도께서 꽃으로 뒤덮인 바위 위에 앉아, 무한의 비밀로 빛나는, 현명하고 슬픈 눈으로 정직해도 신앙심이 없던 자를 바라보고 계셨다.

그래서 그분은 여기에 다시 오셔서 다시 바라보시며, 그의 집을 떠나지 않으셨고, 그의 의료업을 진심으로 축원하고, 그의 아내와 순진무구한 아들의 머리에 축복을 그치지 않으실 것이다.

1899년 5월 22일. (끝)

La veŝto

Estas homoj, kiuj havas emon al kolektado de kuriozaĵoj pli aŭ malpli multekostaj, depende de materiala stato de la persono. Mi ankaŭ posedas kolekteton, sed negrandan, kiel ordinare en la komenco.

Estas tie mia dramo, kiun mi skribis ankoraŭ en gimnazio, dum lecionoj de la latina lingvo··· estas kelkaj sekigitaj floroj, kiujn mi devos anstataŭigi per novaj, estas···

Ŝajnas, ke jam estas nenio plu, krom unu tre malnova kaj eluzita veŝto.

Jen ĝi estas. La antaŭa parto estas senkoloriĝinta, la malantaŭa — trafrotita. Multe da makuloj, mankas butonoj, ĉe la rando jen trueto, certe elbruligita per cigaredo. Sed plej interesaj estas la kuntiriloj. Tiu, sur kiu troviĝas la buko, estas mallongigita kaj alkudrita al la veŝto tute ne tajlore, kaj la alia estas trapikita preskaŭ tutlonge de la bukodentoj.

Rigardante ĝin oni tuj divenas, ke la posedinto de la veŝto certe ĉiutage pli malgrasiĝadis, ĝis li fine atingis tiun gradon, ĉe kiu veŝto ĉesas esti necesa, sed anstataŭe tre necesa montriĝas ĝiskole butonumata frako el magazeno de funebraĵoj.

정장 조끼

개인의 물질적 재정 상태에 따라 다소 진귀한 물품을 수집하는 사람들이 있다. 나도 물품 수집을 하지만, 처음 수집할 때처럼, 보통은, 그리 크지 않은 수집이다.

그 수집 물품 중에는 김나지움에 다닐 때, 라틴어 수업시간에 썼던 희곡 작품도 있고…

새것으로 바꿔야 할, 말린 꽃도 있고…

그중 아주 낡고 오래 쓴, 양복의 정장 조끼 하나 외에는 없는 것 같다.

오늘 소개하는 것이 이 정장 조끼이다.

이 정장 조끼 앞부분은 이미 색이 바랬고, 뒷부분은 -긁혀 있다. 여기저기 얼룩이 있고, 조끼를 채우는 단추는 몇 개 부족하고, 조끼 가장자리에 작은 구멍이 나 있으니, 필시 담뱃불에 좀 태웠을 것이다.

그러나 가장 흥미로운 것은 품을 늘이기도 하고 죄기도 하는 그 조끼의, 2줄이 달린 허리띠다. 그 2줄 중 하나는 죔쇠가 있는 줄인데, 재단사 솜씨는 아닌 것으로, 짧게 꿰매져 있고, 다른 한 줄은 죔쇠 이빨이 거의, 줄의 전체 길이에 뚫려 있다.

이 정장 조끼를 보면, 조끼를 입던 주인이 날이 갈수록 몸이 날씬해져 조끼가 더는 필요 없게 된 게 아닌가 짐작된다.

대신, 목에까지 단추를 채우는 장례용품을 파는 곳의 정장 조끼로는 아주 유용할 듯하다.

Mi konfesas, ke mi hodiaŭ volonte forvendus al iu tiun ĉi pecon da drapo, kiu kaŭzas al mi iom da embaraso. Ŝrankojn por la kolektoj mi ankoraŭ ne havas, kaj mi ne volus teni la malsanan veŝtaĉon inter miaj propraj vestoj. Estis tamen tempo, ke mi ĝin aĉetis por prezo, multe superanta ĝian valoron, kaj mi pagus eble eĉ pli multe, se la vendisto scius marĉandi.

Oni havas kelkfoje en la vivo tiajn momentojn, ke oni ŝatas ĉirkaŭigadi sin per objektoj, kiuj rememorigas malĝojon. Tiu malĝojo nestiĝis ne ĉe mi, sed en la loĝejo de la proksimaj najbaroj. El mia fenestro mi povis ĉiutage rigardi en la internon de ilia ĉambreto.

Ankoraŭ en aprilo ili estis triope: la sinjoro, la sinjorino kaj malgranda servistino, kiu dormadis, kiel mi scias, sur kofreto post ŝranko. La ŝranko estis malhele ĉerizkolora.

En julio, se la memoro min ne trompas, ili restis nur duope: la sinjoro kaj la sinjorino, ĉar la servistino translokiĝis al tiaj gesinjoroj, kiuj pagis al ŝi tri rublojn jare kaj ĉiutage kuiradis tagmanĝon.

En oktobro restis jam nur la sinjorino — tute sola. Ĝustadire, ne tute sola, ĉar en la ĉambro troviĝis ankoraŭ multaj mebloj: du litoj, tablo, ŝranko…

Sed en la komenco de novembro oni aŭkcivendis la senbezonajn aĵojn,

나는 오늘은 천으로 만든 이 정장 조끼를 누군가에게 기꺼이 팔겠다고 고백하고 싶지만, 그러기에는 뭔가 아쉬움이 아직 남아있다.

내게는 아직 이런 수집품을 모아둘 옷장도 없고, 내 옷 사이에 이 수선된 정장 조끼를 보관하는 것도 맞나 싶다.

그러나 내가 이 정장 조끼를 그 가치를 훨씬 넘는 가격으로 샀던 때가 있었다.

당시 그 유대인 상인이 흥정하는 방법을 더 잘 썼다면 아마 내가 더 많은 돈을 주고 샀을 수도 있었다.

살아가면서 슬픔을 상기시키는 물품을 곁에 두고 싶을 때가 몇 번 있다.

이 슬픔은 나로 인한 것이 아니라, 이웃집에 뿌리를 두고 있다.

나는 내 집 창문을 통해 매일 그 가족의 작은 방 내부를 들여다볼 수 있었다.

4월에만 해도 여전히 그 집 가족은 3명이었다. -남편, 아내, 또 내가 아는 한, 옷장 뒤의 여행용 가방 위에서 잠만 자던 이로 기억하는 하녀.

그 옷장은 짙은 체리 색이었다.

7월에, 내 기억이 틀리지 않았다면, 남편과 아내 둘만 남았다.

하녀가 1년에 3루블을 받고 매일 점심을 준비해야 하는 부부의 집으로 가야 했다.

그런데, 10월에는 여인만 혼자 남게 되었다. -완전히 혼자.

솔직히 말해, 완전히 혼자는 아니다.

그 방에는 여전히 많은 가구가 있었기에, 침대 2개, 탁자, 옷장…

그런데 11월 초, 그 물품 중 불필요한 것들이 팔려나갔다.

kaj el ĉiuj memorajoj pri la edzo restis al la sinjorino nur la veŝto, kiun mi nune posedas.

Sed unu tagon, en la fino de novembro, la sinjorino vokis en la malplenan loĝejon komerciston de malnovajoj kaj vendis al li sian ombrelon por tridek kopekoj kaj la veŝton de la edzo —por dudek. Poste ŝi ŝlosis la loĝejon, pasis malrapide tra la korto, rigardis momente la fenestron, jam ŝian, sur kiun nun faladis malgrandaj neĝeroj, — kaj malaperis post la pordego.

Sur la korto restis la komercisto de malnovaĵoj. Li suprenlevis la grandan kolumon de sia kapoto, metis sub la brakon la ĵus aĉetitan ombrelon kaj, ĉirkaŭvolvinte per la veŝto la manojn, ruĝajn pro malvarmo, li vokis:

— Mi komercas, sinjoroj, mi komercas!

Mi alvokis lin.

- Ĉu via moŝto havas ion por vendi? —demandis li enirante.

— Ne, mi volas de vi ion aĉeti.

— Certe via moŝto volas la ombrelon — diris la komercisto.

Li ĵetis teren la veŝton, forskuis neĝon de la kolumo kaj komencis penege malfermi la ombrelon.

— Bela objekto! — li diris. — Por tia neĝo bonege taŭgus tia ombrelo. Mi scias, ke via moŝto povas havi tute silkan ombrelon, kaj eĉ du. Sed tio taŭgas nur por somero.

그렇게 하여, 그 남편을 여윈 여인에게는 남편 유품 중 정장 조끼만 남았다. 그 정장 조끼를 지금 내가 갖고 있다.

11월 말 어느 날, 그 남편을 여윈 여인이 가정의 오래된 용품을 사가는 유대인 상인을 자신의 집으로 불러 자신의 우산을 30코펙(kopeko)[8]에, 사별한 남편의 정장 조끼를 20코펙에 팔았다.

그러고는 그녀는 그 집을 잠그고, 천천히 마당을 지나, 작은 눈송이들이 흩날리는 자신의 집 창문을 한 번 바라보고는, 대문 뒤로 사라졌다.

오래된 가정용품을 파는 상인이 우리 마당에 남아있었다.

그는 모자가 달린 레인 코트의 큰 깃을 들어 세우고는, 방금 산 우산을 겨드랑이에 끼우고, 그 정장 조끼로 추위로 붉어진 자신의 두 손을 감싸며 외쳤다.

"아, 여기 헌 가정용품 삽니다. 가정용품 팝니다. 여러분, 여기 헌 가정용품 사고팝니다!"

내가 그 상인을 불러 세웠다.

"선생님도 뭔가 팔 게 있나요?" 그가 내 집에 들어서면서 물었다.

"아니, 나는 사고 싶은 게 있습니다."

"선생님은 이 우산이 필요하신가 보네요."

상인이 말했다.

그는 그 정장 조끼를 마룻바닥에 던지고, 옷깃에 묻은 눈을 털어내고는 힘들게 우산을 펴 보였다.

"이 물건 아주 좋습니다!" 상인이 말했다. "눈이 내리는 날에는 이런 우산이 어울립니다. 저는 선생님이 비단 우산 1개, 아직 2개까지는 갖고 계시면 좋을 겁니다. 하지만 이것은 여름에만 적합합니다."

---

8) *역주: 1루블= 100코펙(kopeko), 1코펙= 2그로스(groŝo). 원문에는 우산은 2즐로티(Zloti), 조끼는 40그로스로 되어 있음.

— Kiom vi volas por la veŝto? — mi demandis.

— Por kia veŝto? — respondis li mirigite, certe pensante pri la propra.

Sed tuj li ekmemoris kaj rapide levis la veŝton, kuŝantan sur la planko.

— Por tiu ĉi veŝto? via moŝto demandas pri tiu ĉi veŝto?

Kaj poste, kvazaŭ vekiĝus en li suspekto, li demandis;

— Por kio via moŝto bezonas tiun ĉi veŝton?

— Kiom vi volas por ĝi?

La flavaj okulblankaĵoj de la komercisto ekbrilis kaj la pinto de lia longa nazo iĝis ankoraŭ pli ruĝa.

— Via moŝto pagu··· rubleton! — respondis li. tiel etendante la vendotaĵon antaŭ miaj okuloj, por vidigi ĉiujn ĝiajn bonajn kvalitojn.

— Mi pagos al vi duonon da rublo.

— Duonon da rublo por tia veŝto?—tio ne povas esti —parolis la komercisto.

— Nek unu groŝon pli.

— Ne ŝercu, via moŝto — diris li, frapetante per la mano mian brakon. —: Vi ja mem scias, kiom ĝi valoras. Ĝi ja ne estas veŝto por malgranda infano, ĝi estas por matura persono···

— Nu, se vi ne povas vendi ĝin por duono da rublo, foriru. Mi ne donos pli multe.

— Nur ne koleru, — interrompis li, moliĝante.

"그 정장 조끼는 얼마면 살 수 있어요?" 내가 물었다.

"무슨 정장 조끼 말씀하시는지요?" 상인은 깜짝 놀라며, 뭔가 자신이 가진 것을 생각하면서 대답했다.

그러나 그는 즉시 기억해내고는 마룻바닥에 놔둔 그 정장 조끼를 집어 들었다.

"이 정장 조끼요? 선생님이 이 조끼 말씀하시나요?"

그러다가 마치 의심이 깨어난 듯 그 상인이 물었다.

"선생님은 이 조끼 왜 필요하시나요?"

"얼마면 됩니까?"

상인의 노란 눈의 흰자위가 번쩍이고, 그의 긴 코끝이 더욱 붉어졌다.

"선생님이시라면… 1루블이면 됩니다!" 그가 답했다. 그러면서 그는 자신의 물건이 좋은 품질임을 보여주기라도 하듯이 내 앞으로 그 물건을 내밀었다.

"반(0.5) 루블은 내겠소."

"이 조끼를 반 루블이라고요? 그럴 리가요!" 상인이 말했다.

"1그로스도 더는 안 돼요." 내가 말했다.

"무슨 그런 말씀을요, 선생님." 그는 손으로 내 팔을 건드리며 말했다. "선생님은 이게 얼마나 가치 있는지 정말 잘 알고 있습니다. 이건 어린아이용이 아니라 성인용 조끼입니다요."

"그럼, 반 루블에 팔 수 없다면 그만 가시요. 나는 더는 못 줍니다."

"화는 내시지 마시고요." 그는 자신의 태도를 누그러뜨리며 흥정을 이어갔다.

—Je mia konscienco: por duono da rublo mi ne povas, sed mi fidas al via prudento··· diru vi mem, kiom ĝi valoras, kaj mi konsentos. Mi eĉ preferas malgajni, por ke nur fariĝu tio, kion vi deziras.

— La veŝto valoras kvindek groŝojn[9], kaj mi proponas al vi duonon da rublo.

— Duonon da rublo? Nu, estu duono da rublo —li ekĝemis, enpuŝante la veŝton en miajn manojn. — Mi eĉ malgajnu, por ke mi denove krii··· tia vento···

Kaj li montris per la mano la fenestron, post kiu kirliĝis neĝa nubo.

Kiam mi estis prenonta monon, la komercisto, videble rememorinte pri io, elŝiris el miaj manoj la

veŝton kaj komencis revizii ĝiajn poŝetojn.

— Kion vi serĉas tie?

— Eble mi forgesis ion en la poŝo, mi ne memoras. - respondis li per plej natura tono kaj redonante al mi aĉetaĵojn, aldonis: almetu, via moŝto, almenaŭ dek groŝojn.

— Nu, adiaŭ — mi respondis, malfermante la pordon.

— Mi ĵetas min al viaj piedoj. Hejme mi havas ankoraŭ unu tre bonan pelton.

Kaj elŝovinte ankoraŭ la kapon el post la pordo, li demandis:

— Eble via moŝto ordonos alporti ŝaflaktajn fromaĝetojn?

---

9) *) 1 rublo = 100 kopekoj; 1 kopeko = 2 groŝoj. (traduk).

"제 양심상 반 루블에는 못 드려요. 하지만 선생님 상식을 믿습니다요… 얼마가 되면 좋은지 직접 금액을 한번만 더 말씀해보세요."

"그 정장 조끼는 50그로스 정도의 가치는 됩니다. 그러니 나는 반 루블을 낼 용의는 있습니다."

"반 루블이라? 그럼, 반 루블에 가져가세요." 그는 한숨을 쉬기 시작했고 그 정장 조끼를 내 손에 밀어 넣었다. "제가 손해 보는 때도 있어야겠네요. 제가 다시 이걸 사라고 외칠 수도 있지만… 저리도 바람이 부니…"

그리고 그는 휘몰아치는 눈구름을 손으로 가리켰다.

내가 호주머니에서 돈을 집어 들려는 순간, 상인은, 필시 뭔가 생각난 듯, 내 손에 든 그 정장 조끼를 다시 낚아채고는 조끼 호주머니를 일일이 뒤지기 시작했다.

"거기서 뭘 찾아요?"

"제가 주머니에 뭔가를 놔두었는지, 그걸 잊어버렸는지 기억이 잘 나지 않아서요." 그는 가장 자연스러운 어조로 대답하고 내가 산 그 물품을 돌려주면서 이 말을 덧붙였다. "선생님, 10그로스는 더 얹어 주시지요."

"그럼, 안녕히 가시오" 나는 문을 열어 주며 대답했다.

"잠깐만요. 저는 선생님 발 앞에 몸을 던지고 싶네요. 저희 집에는 아직 아주 좋은 모피 코트가 하나 더 있거든요."

그리고 여전히 출입문 뒤에서 고개를 내밀며 물었다.

"아마 선생님은 양유(羊乳) 치즈를 가져다 달라고 요청하실 것입니까?"

Kelkajn minutojn poste li kriis denove en la korto: Mi komercas, komercas!. kaj kiam mi starigis ĉe la fenestro, li salutis min kun amika rideto.

Neĝo komencis faladi tiel dense, ke preskaŭ krepuskiĝis. Mi metis la veŝton sur tablon kaj komencis pensi jen pri la sinjorino, kiu eliris ekster la pordegon, mi ne scias, kien, jen pri la malplena loĝejo, troviĝanta apud la mia, jen pri tiu, super kiu surkreskas nun ĉiam pli dika tavolo da neĝo···

Ankoraŭ antaŭ tri monatoj mi aŭdis, kiel ili interparolis en unu belvetera septembra tago: En majo la sinjorino eĉ kantetis ion — li ridis, legante la "Festan Kurieron". Sed hodiaŭ···

En nian domon ili translokiĝis en la komenco de aprilo. Ili leviĝadis frue, trinkis teon el lada samovaro kaj kune eliradis eksteren. Ŝi —al la lecionoj, li — en oficejon.

Li estis negrava oficisto, kiu kun tia admiro rigardis fakajn ĉefojn, kiel vojaĝanto — Tatrojn[10].

Tial li devis multe labori dum la tutaj tagoj. Mi vidadis lin eĉ je noktomezo, klinitan ĉe lampo super tableto.

La edzino sidis ordinare apud li kaj kudris.

Kelkfoje, rigardinte lin, ŝi ĉesigadis sian laboron kaj diradis per admona tono:

---

10) *traduknoto: Tatroj aŭ Tatro (slovake kaj pole Tatry) estas nomo de montara komplekso de la geologia Fatra-Tatra areo en la Karpatoj. La plimulto de la montaro situas en Slovakio, eta parto en Pollando.

몇 분 후, 그 상인은 마당에서 다시 소리쳤다. "헌 가정용품 삽니다. 팝니다!"

내가 창가에 서자, 그는 다정한 미소로 나를 향해 인사했다.

눈이 너무 심하게 내리기 시작하니, 날이 거의 황혼 무렵 같았다.

나는 정장 조끼를 탁자에 놓고는, 우리 건물 대문 밖으로 나간 그 여인이 생각나기 시작했다.

나는 우리 건물의 그 텅 빈 옆집이 생각나고, 또 점점 두껍게 쏟아지는 눈을 맞으며 걷고 있을 그 여인이 다시 떠올랐다.

3개월 전인 아름다운 9월 어느 날, 나는 그 이웃이 이야기하는 것을 우연히 듣게 되었다.

5월에는 그 집 아내는 심지어 노래 부르기도 했다. 그 노랫소리에 남편은 〈축제 쿠리에르〉(Festa Kuriero) 잡지도 읽으면서 웃기도 했는데. 오늘은…

지난해 4월 초, 그 이웃은 우리 건물로 이사했다.

그 이웃은 아침 일찍 일어나, 양철 주전자 사모바르를 끓여 차를 마시고 함께 외출했다.

아내는 학교 강의하러, 남편은 사무실로 출근하러.

남편은, 여행자가 타트리 산맥Tatras[11]을 바라보듯, 늘 전문 부서장을 우러러보는 하급 관리였다.

그 때문에 그는 온종일 열심히 일해야 했다.

나는 한밤중에도 작은 탁자 저 위의 램프 곁에 몸을 구부리고 있는 그를 자주 보아왔다. 아내는 평소처럼 그의 옆에 앉아, 바느질했다. 때때로 남편을 쳐다보고는, 아내는 자기 일을 멈추고 채근하듯 말했다.

---

11) *역주: 타트리산맥(폴란드어: Tatry, 슬로바키아어: Tatry)은 폴란드 남부와 슬로바키아 북부의 국경 부근까지 동서 방향으로 뻗은 산맥이다.

— Nu, sufiĉe da laboro. Iru dormi.

— Kaj kiam vi iros dormi?

— Mi··· finos nur kelkajn stebojn,

— Nu, do mi ankaŭ skribos kelkajn liniojn.

Denove ili klinadis la kapojn kaj faris siajn taskojn.

Kaj denove post kelka tempo diradis la sinjorino:

— Enlitiĝu, enlitiĝu.

Kelkfoje al ŝiaj vortoj respondadis mia horloĝo, batante la unuan.

Ili estis homoj junaj, nek belaj, nek malbelaj, ĝenerale trankvilaj. Kiel mi memoras, la sinjorino estis multe pli malgrasa, ol la edzo, kiu estis tute bonstatura rilate al tia malgrava ofico.

Ĉiudimanĉe, ĉirkaŭ tagmezo, ili iris promeni, tenante sin je la brakoj kaj revenadis hejmen malfrue vespere. Ili tagmanĝis certe eksterhejme. Unu fojon mi renkontis ilin ĉe la pordego, apartiganta la Botanikan Ĝardenon de Łazienki. Ili aĉetis du glasojn da bonega akvo kaj du grandajn mielkukojn, havante ĉe tio trankvilajn fizionomiojn de urbanoj, kiuj kutimas manĝadi ĉe la teo varman ŝinkon kun kreno.

Ĝenerale malriĉaj homoj nemulte bezonas por subteni sian spiritan egalpezon. Iom da nutraĵo, multon da laboro kaj multon da sano.

Al miaj najbaroj, kiel ŝajnas, ne mankis nutraĵo, kaj almenaŭ ne laboro.

"이제 일은 충분히 했어요. 자러 가요."

"그럼 당신은 언제 자러 갈 거예요?"

"저는… 바느질을 몇 땀만 더 하면 돼요."

"그럼, 나도 몇 줄 더 쓰겠소."

그들은 다시 머리를 숙이고 각자 일을 이어갔다.

그리고 잠시 후, 아내가 또 말했다.

"자러 가요, 자러 가."

때때로 내 벽시계가, 그녀 말에 반응하여, 새벽 1시를 알리고 있었다.

그 부부는 아름답지도 추하지도 않은, 대체로 조용한 젊은이들이었다.

내 기억으로는 아내가 남편보다 훨씬 말랐다.

남편은, 하찮은 업무에 비해, 꽤 체격이 좋았다.

매주 일요일 정오쯤 그 젊은 부부는 서로에게 팔짱을 끼고 산책한 뒤, 저녁 늦게 집으로 돌아왔다.

그들은 밖에서 점심을 해결하는 것이 분명했다.

한번은 내가 와지엔키 공원 Łazienki[12] 과 식물원으로 갈라지는 대문에서 우연히 그들과 마주치게 되었다.

품질 좋은 생수 2컵과 큰 벌꿀 케이크 2개를 사 들고 있는 모습은, 마치 보통 차를 마시며, 서양고추 냉이가 든 뜨거운 햄을 먹는 여느 시민처럼, 평온한 인상이었다.

일반적으로 가난한 사람은 정신적 균형을 유지하는 데 많은 것이 필요하지 않다. -약간의 음식, 많은 일, 건강이 있으면 된다.

그 부부에게는 음식은 부족하지 않고, 적어도 일은 부족하지 않았다.

---

12) *역주: 폴란드 바르샤바에 있는 국립공원.

Sed la sano ne ĉiam estis bonstata.

En julio la sinjoro iel malvarmumis, sed ne tre. Tamen — stranga kuntrafo de cirkonstancoj — li ricevis samtempe tiel fortan sangelfluon, ke li eĉ perdis la konscion.

Tio okazis jam nokte. La edzino, kvietiginte lin en la lito, venigis en la ĉambron la gardistedzinon, kaj mem kuris serĉi kuraciston.

Ŝi demandis pri kvin, sed trovis nur unu, kaj tio estis eĉ okaze sur strato.

La kuracisto, rigardinte ŝin ĉe la lumo de flagranta lanterno, opiniis ĝusta antaŭ ĉio ŝin trankviligi. Ĉar ŝi momente ŝanceliĝadis kaj ne estis fiakro sur la strato, li donis al ŝi la brakon kaj, irante, klarigadis, ke sangelfluo ankoraŭ nenion pruvas.

— Sangelfluo povas esti el la laringo, el la stomako, el la nazo; el la pulmoj — nur malofte. Cetere, se la homo ĉiam estis sana, neniam tusis…

— Ho, nur iafoje —ekflustris ia sinjorino, haltante por ekkapti la spiron.

— Se iafoje, ĝi estas ankoraŭ nenio. Li povas havi facilan kataron de la bronkoj.

— Jes, ĝi estas kataro! — ripetis la sinjorino, jam laŭte.

— Li neniam havis pulminflamon?

— Li havis — respondis la sinjorino, denove haltante.

하지만 건강은 항상 좋은 편이 아니었다.

7월에 남편은 감기에 걸렸지만 그다지 심하지 않았다.

그러나 우연히도 이상한 상황이 함께 닥쳐, 그는 동시에 의식을 잃을 정도로 심하게도 피를 토했다.

그 일은 늦은 밤에 일어났다.

아내는 침대에서 그를 진정시킨 후, 우리 건물 관리인의 아내에게 부탁해 그들 방에 오게 하고는, 그 집 아내가 직접 의사를 찾아 달려나갔다.

그 아내는 5곳의 의원 출입문을 두들겼지만, 단 1곳에서만 의사 선생님을 만날 수 있었다.

심지어 그것도 거리에서 왕진가던 의사 선생님을 만나게 되었다.

의사는 깜박이는 램프 불빛으로 그녀를 살펴본 후, 우선 그녀를 진정시키는 것이 옳다고 생각했다. 그녀가 잠시 비틀거렸고, 또 거리에 영업용 마차가 없으니. 또 의사가 그녀에게 팔을 내밀어 부축했고, 진료하러 집으로 함께 오면서, 그런 각혈이 여전히 아무것도 증명하지 못한다고 설명했다.

"그런 각혈은 후두부에서, 또 위장이나 코에서도 발생할 수 있습니다. 폐에서는 드물게. 게다가 항상 건강하다면 기침도 없었다면야."

"아, 기침은 가끔 해 왔어요." 그녀는 숨을 고르기 위해 멈춰서 작은 소리로 말했다.

"그래도 아직은 아무것도 아닙니다. 환자 기관지에 쉽게 카타르(점막 삼출성 염증)가 생길 수 있습니다."

"네, 카타르입니다요!" 이미 큰 소리로 그 여인은 반복했다.

"폐렴을 앓은 적도 없나요?"

"그이는 앓은 적 있어요." 그 여인은 대답하고는 다시 멈췄었다.

Ŝiaj piedoj iom ŝanceligis.

— Jes, sed certe antaŭ tre longe, -kontinuigis la kuracisto.

— Ho, antaŭ tre longe — ŝi jesis rapide —ankoraŭ la pasintan vintron.

— Antaŭ unu kaj duono da jaro,

— Ne, sed ankoraŭ antaŭ la Nova Jaro··· ho. antaŭ tre longe!

— Ho, kiel malluma strato ĝi estas, kaj la ĉielo estas iom nuba — parolis la kuracisto.

Ili eniris la domon. La sinjorino timeme demandis la gardiston, ĉu nenio okazis, kaj ŝi eksciis, ke nenio. En la loĝejo la gardistedzino ankaŭ diris al ŝi, ke okazis nenio, kaj la malsanulo dormetis.

La kuracisto delikate vekis lin, esploris, kaj antaŭdiris, ke ĝi estas nenio grava.

— Mi tuj diris, ke ĝi estas nenio - ekparolis la malsanulo.

— Ho, nenio! — ripetis la sinjorino, premante liajn ŝvitkovritajn manojn. —Mi ja scias, ke sangelfluo povas esti el la stomako aŭ el la nazo. Ĉe vi ĝi estis certe el la nazo. Vi estas tiel grasa, bezonas movadon, kaj vi ĉiam sidas. Ĉu ne vere, sinjoro doktoro, ke li bezonas movadon?

— Jes, jes, movado estas ĝenerale necesa, sed via edzo devas kelkajn tagojn resti en la lito. Ĉu li povus veturi kamparon?

— Li ne povas — ekflustris malgaje la sinjorino.

그녀 발이 조금 비틀거렸다.

"네, 하지만 확실히 오래전에 그랬겠군요." 의사가 말을 이어갔다.

"아, 오래전이에요. 지난겨울에도요." 그녀는 빠르게 동의했다.

"1년 반 전이군요."

"아뇨, 올해가 되기 전에요. 아. 좀 시간이 지났네요!"

"아, 거리가 정말 어두워요. 하늘도 약간 흐려요." 의사가 말했다.

의사는 환자가 사는 건물로 들어섰다.

아내는 조심스럽게 그 건물 관리인에게 아무 일도 일어나지 않았는지 물었고, 아직은 아무 일도 일어나지 않았음을 알게 되었다.

건물 안에서 그 관리인의 아내도 아무 일도 일어나지 않았으며, 아픈 사람은 아직 자고 있다고 말했다.

의사는 환자를 부드럽게 깨워 진찰한 후, 심각한 문제는 아니라고 진료했다.

"즉시 아무것도 아니라고 말했는데도." 환자가 말했다.

"아, 아무것도 아니라네!" 땀에 젖은 남편 손을 꽉 쥐고 아내가 반복해 말했다. "위장이나 코에서 출혈이 발생할 수 있다는 것을 나도 알아요. 환자 경우는 그게 확실히 코에서 나온 것일 겁니다. 당신은 그리 뚱뚱하니 운동이 필요하고 항상 앉아 있으니. 의사 선생님, 저이에게 운동이 필요한 게 맞지 않나요?"

"네, 네, 일반적으로 운동은 필요합니다. 하지만 남편분은 며칠 동안 침대에 누워 있어야 합니다. 남편분이 시골에 마차를 타고 갈 수 있을까요?"

"저이는 그렇게 할 수 없어요" 아내는 슬프게 속삭였다.

— Nu, negrave. Li restos do en Varsovio.

Mi lin vizitados; dume li kuŝu kaj ripozu. Kaj se la sangelfluo ripetiĝus··· — aldonis la kuracisto.

— Tiam··· sinjoro? — demandis la edzino, paliĝante, kvazaŭ vakso.

— Nu, nenio. Via edzo ripozos, tie cikatriĝos···

— Tie··· en la nazo? — parolis la sinjorino, kunmetante la manojn antaŭ la kuracisto.

— Jes··· en la nazo! Kompreneble. Trankviliĝu, sinjorino, kaj la ceteron konfidu al Dio. Bonan nokton.

La vortoj de la kuracisto tiel trankviligis la sinjorinon, ke post la teruro, kiun ŝi travivadis de kelkaj horoj, ŝi iĝis preskaŭ gaja.

— Nu, kio grava ĝi estas? —diris ŝi, iom ridetante, iom ploretante.

Ŝi surgenuiĝis apud la lito de la malsanulo kaj komencis kisi liajn manojn.

— Kio grava? - - ripetis mallaŭte la sinjoro kaj ridetis. Tiom da sango elfluas el homo dum milito, kaj tamen li estas poste sana!

— Nur nenion parolu — petis lin la sinjorino.

Ekstere komencis krepuskiĝi. En somero, kiel oni scias, la noktoj estas tre mallongaj.

La malsano daŭris multe pli longe, ol oni antaŭe supozis.

"그럼, 괜찮아요. 바르샤바에 머물면 됩니다. 제가 댁을 방문하면 됩니다. 그동안 저분을 누워 쉬게 해 주세요. 그리고 각혈이 반복된다면…" 의사가 덧붙여 말했다.

"그때는요… 선생님?" 아내는 밀랍처럼 얼굴이 창백해지며 물었다.

"저기, 별거 아닙니다. 남편분이 쉬면, 저기에 상처가 아물게 되고…"

"저기… 코에요?" 아내는 의사 앞에서 손을 기도하듯 합하며 말했다.

"네… 코에! 물론 진정하세요, 부인. 나머지는 하나님께 맡기세요. 그럼, 안녕히 주무세요."

의사의 말은 그 아내를 진정시켰고, 몇 시간 동안의 공포를 겪은 후에, 그녀는 거의 명랑해졌다.

"그게 뭐가 중요하겠어요?" 그녀는 조금 웃으면서, 또 조금 울먹이며 말했다.

그녀는 환자 침대 곁에 무릎을 꿇고, 환자인 남편 손에 키스하기 시작했다.

"뭐가 중요하겠어요?" 남편은 부드럽게 반복하고 미소를 지었다. "전쟁 중에 군인이 피를 그리 많이 흘렸어도, 전쟁이 끝난 뒤에 그 사람은 건강을 회복했지요!"

"아무 말도 하지 말아요." 아내가 남편에게 청했다.

밖은 새벽이 시작되고 있었다. 여름에는 알다시피 밤이 매우 짧다.

그 병은 이전에 생각했던 것보다 훨씬 오래 이어졌다.

La edzo ne iradis jam en la oficejon, kio kaŭzis al li tiom malpli da embaraso, ke, kiel dungito, li ne devis preni forpermeson kaj povis reveni, kiam ajn plaĉus al li, kaj — se li retrovus la oficon.

Ĉar, restante hejme, li fartis pli bone, la sinjorino havigis al si ankoraŭ kelkajn lecionojn kaj per ilia helpo kontentigadis la hejmajn elspezojn.

Ŝi eliradis ordinare eksteren je la oka matene. Ĉirkaŭ la unua ŝi revenadis por kelkaj horoj hejmen por kuiri al la edzo tagmanĝon sur maŝineto, kaj poste ŝi ree elkuradis por kelka tempo.

Sed la vesperojn ili pasigadis kune. Kaj la sinjorino, por ne mallabori, akceptadis iom pli da kudrotaĵo.

Iam, en la fino de aŭgusto, la sinjorino renkontigis sur strato kun la kuracisto.

Longe ili promenis kune. La sinjorino ekkaptis la manon de la kuracisto kaj diris per petega tono:

— Tamen, viaflanke, vizitadu nin. Eble Dio permesos··· Li tiel trankviliĝas post ĉiu via vizito!

La kuracisto promesis kaj la sinjorino revenis hejmen, kvazaŭ plorinte. Ankaŭ la sinjoro, sekve de la deviga sidado, iĝis facile incitebla kaj dubema. Li komencis riproĉi al la edzino, ke ŝi estas tro zorgema pri li, ke li malgraŭ tio mortos, kaj fine li demandis: — Ĉu la kuracisto ne diris al vi, ke mi ne vivos pli, ol kelkajn monatojn?

La sinjorino rigidiĝis.

남편은 더는 사무실에 출근하지 못했고, 그러니, 당황스럽게 직원으로서 병가를 요청할 필요가 없고, 그가 원할 때면 언제나 복귀할 수도 없었다. -만일 그가 그 직장을 다시 찾기라도 할 때.

남편이 집에 머물면서 병세가 다소 나아졌기에, 아내는 여전히 몇 가지 강의를 이어갈 수 있었고, 그 강의 덕분에 그들의 가정에 필요한 경비를 충당할 수 있었다.

그녀는 보통 아침 8시에 나갔다가 낮 1시쯤 그녀는 집에 돌아왔다.

아내는 몇 시간 작은 부엌에서 남편 점심을 준비해, 같이 식사하고는, 다시 밖으로 강의하러 분주하게 다녀오곤 했다.

그러나 저녁에는 둘이 함께 걸었다.

그리고 아내는 게을러지지 않으려고 삯바느질 감을 평소보다 조금 더 받아 왔다.

한번은 8월 말에 그 아내가 길에서 그 의사를 다시 만나게 되었다.

그 둘은 오랫동안 함께 걸었다. 아내는 의사 손을 잡고, 애원조로 말했다:

"그러나 선생님이 형편이 되시면, 저희를 방문해 주십시오. 어쩌면 하나님께서 허락하실지도 모르겠습니다. 그이는 의사 선생님이 왕진해 주실 때마다 너무 안정된다고 합니다!"

의사는 약속했다.

그 부인은, 울먹인 듯이, 집으로 돌아왔다.

남편 역시, 늘 겨우 앉아 있기만 하니, 쉽게 짜증 내고, 의심도 품었다. 그는 자신이 죽을까 봐 아내가 너무 걱정한다고 역정을 내더니, 마침내 물었다.

"의사가 내가 몇 달도 못 살 것이라고 말하지 않던가요?"

부인은 자신의 몸이 굳어졌다.

— Kion vi diras? De kie venas al vi tiaj pensoj?

La malsanulo ekscitiĝis.

— Ho, venu al mi, ĉi tien! — li parolis kolere, kaptante ŝiajn manojn. — Rigardu rekte en miajn okulojn kaj respondu: ĉu la kuracisto ne diris tion?

Kaj li fiksis sur ŝi la incititan rigardon. Ŝajnis al li, ke sub tiu ĉi rigardo eĉ muro elflustrus la sekreton, se ĝi posedus ĝin.

Sur la vizaĝo de la virino montriĝis stranga trankvilo. Ŝi ridetis kviete, elportante tiun sovaĝan rigardon. Nur ŝiaj okuloj kvazaŭ vualiĝis per vitro.

— La kuracisto diris — ŝi respondis — ke ĝi estas nenio, ke vi devas nur iom ripozi.

La edzo lasis ŝin, komencis tremi kaj ridi; poste, svingante la manon, li diris:

— Nu, vidu, kiel nerva mi estas. Mi obstine pensis, ke la kuracisto ekdubis pri

mi… Sed vi konvinkis min… mi estas jam tute trankvila!

Kaj ĉiam pli gaje li ridis pro siaj imagoj.

Cetere, tia atako de suspektemo neniam plu ripetiĝis. La serena trankvilo de la edzino estis ja plej bona signo por la malsanulo, ke lia stato ne estas malbona.

Kial ĝi devus esti malbona?

Li tusis verdire, sed tio estis pro kataro de la bronkoj. Kelkfoje, sekve de la longa sidado, montriĝadis sango — el la nazo.

“무슨 말을 그리 해요? 그 생각은 어디서 났나요?”

아픈 사람은 흥분했다.

“아, 이쪽으로 와서 나를 좀 봐요!” 그는 화를 내며 아내 손을 잡아끌었다. “내 눈을 똑바로 보고 대답해 줘. 의사가 그리 말하지 않던가?”

그리고 남편은 아내에게 짜증스러운 표정을 지었다.

이 표정을 통해 벽조차도 그 비밀을, 만일 그 벽이 비밀을 갖고 있다면, 발설할 수 있을 거라는 듯이.

아내 얼굴에는 묘한 평온함이 나타났다.

그녀는 남편의 째려보는 눈길을 겨우 참으며 조용히 미소를 지었다. 그녀 눈만 유리로 가려져 있는 것 같다.

“의사 선생님이 말했어요.” 그녀는 대답했다. “아무것도 아니고 당신이 조금 쉬기만 하면 된다고 말했다고요.”

남편은, 그녀 손을 놓고는, 몸을 떨며 웃기 시작했다.

그리고는 그는 손을 흔들며 말했다:

“거봐요, 내가 얼마나 신경이 날카로워졌는지. 나는 의사가 나에 병에 대한 의심을 품고 있다고 고집스럽게 생각했거든요… 하지만 당신이 나를 확신하게 하는군요… 이제 완전히 진정됐어요!”

그리고 그는 자신의 상상으로 더욱 유쾌하게 웃었다.

더욱이 그러한 의심의 공격은 다시는 반복되지 않았다.

아내의 고요하고도 평온함은, 참으로, 환자 상태가 나쁘지 않음을 알려주는 최고의 신호였다.

왜 그 병세가 나빠져야 하나?

그가, 사실은, 기침을 자주 왔지만, 그것은 기관지의 카타르 때문이었다.

때로는 오랫동안 앉아 있어, 피가 나는 경우는 코 때문으로 판명되었다.

Nu, li havadis ankaŭ kvazaŭ febron, sed, ĝustadire, tio ne estis febro, nur — tia nerva stato.

Ĝenerale li fartis ĉiam pli bone. Li sentis nevenkeblan sopiron al iaj malproksimaj ekskursoj, sed mankis al li fortoj.

Venis eĉ tempo, ke li ne volis kuŝi tage en la lito, li nur sidis sur seĝo, vestita, preta por eliri — se lin nur forlasus tiu momenta senfortiĝo.

Sed maltrankviligis lin nur unu detalo. Iun tagon, surmetante la veŝton, li eksentis, ke ĝi estas tre vasta.

— Ĉu mi tiagrade malgrasiĝis? — li ekflustris.

— Nu, kompreneble, ke vi iom malgrasiĝis — respondis la edzino. — Sed oni ne devas ja troigad i…

La edzo rigardis ŝin atente. Ŝi ne fortiris eĉ la okulojn de sia laboro. Ne, tiu trankvilo ne povis esti ŝajnigita. La edzino scias de la kuracisto, ke li ne estas ja tiel tre malsana, do li ne havas motivon por ĉagreniĝi.

En la komenco de septembro la nervaj statoj similaj al febro, okazadis ĉiam pli intense, preskaŭ dum tutaj tagoj.

— Ĝi estas malgravaĵo — parolis la malsanulo. — Ĉe la trapaso de somero al aŭtuno eĉ al plej sanaj homoj okazas iaj statoj de incititeco, ĉiu estas malsaneta. Sole tio mirigas min: kial mia veŝto kuŝas sur mi ĉiam pli libere?

그런데, 그에게는 열도 났지만, 솔직히 말해, 열이 아니고 그냥 긴장 상태였다.

전반적으로 그는 점점 잘 지내고 있었다.

그는 먼 여행을 떠나고 싶은, 억누를 수 없는 갈망을 느꼈지만, 힘이 없다.

낮에는 침대에 누워 있고 싶지 않은 때가 있다.

그러면 그는 의자에 앉아 옷을 챙겨 입고 외출 준비를 해 본다. - 순간적인 기력상실만 없다면.

그러나 단 한 가지 걱정이 있다:

어느 날 정장 조끼를 입어보니, 그 품이 매우 너른 것을 남편이 알게 되었다.

"내가 이 정도로 살이 빠졌나?" 그는 작은 소리로 말했다.

"물론 살이 조금 빠졌어요." 아내가 대답했다. "하지만 그걸 너무 강조하면 안 되어요."

남편은 그녀를 뚫어지게 쳐다보았다.

그녀는 자기가 하는 일에서 눈을 떼지도 않았다.

아니, 그런 평온함은 가장할 수 없다.

아내는 그 의사에게서 그가 그다지 심하지 않다고 했기에 그렇게 알고 있었다.

또 아내는 남편에게 크게 걱정할 필요는 없다고 했다.

9월 초에는 발열과 유사한 신경 증상이 거의 온종일 점점 더 강하게 발생했다.

"사소한 일이요." 그 아픈 사람이 말했다.

그러고는 그 남편은 말을 이어갔다.

"여름에서 가을로 넘어가는 환절기에는 정말 건강한 사람이라도 신경과민 상태를 경험하니, 모두가 아프게 돼요. 내가 정말 놀라는 것은 왜 내 정장 조끼 품이 점점 크게 보이는가 하는 것이오.

Mi videble terure malgrasiĝis kaj nature mi ne povos esti sana, antaŭ ol mi pligrasiĝos. Tio estas certa.

La edzino atente aŭskultis ĉi tion kaj devis konfesi, ke la edzo estas prava.

La malsanulo ĉiun tagon leviĝadis el la lito kaj vestadis sin, kvankam sen helpo de la edzino li povis surtiri neniun parton de la vesto. Per sia insistado ŝi almenaŭ tion elpetis, ke li ne metis supren surtuton, sed palton.

— Kaj oni miras — li parolis kelkfoje, rigardante en spegulon — kaj oni miras, ke mi ne havas forton. Sed kiel mi aspektas! — Nu, la vizaĝo ĉiam facile ŝanĝiĝas — intermetis la edzino.

— Vere, sed mi ankaŭ entute malgrasiĝas···

— Ĉu ĝi ne ŝajnas al vi? — demandis la sinjorino kun akcento de granda dubo.

Li enpensiĝis.

— Ha, eble vi estas prava··· Ĉar eĉ··· de kelkaj tagoj mi rimarkas··· ke iel··· mia veŝto···

— Lasu do! — interrompis la sinjorino — vi ja ne grasiĝis.

— Kiu scias? Ĉar laŭ la veŝto··· mi rezonas ke···

— Tiuokaze devus revenadi viaj fortoj.

— Ho, ho, vi tuj ĝin volus··· Antaŭe mi devas almenaŭ iomete grasiĝi. Mi eĉ diras al vi, ke kiam mi eĉ grasiĝos, ankoraŭ tiam ne tuj revenos miaj fortoj··· Sed kion vi faras tie post la ŝranko? — li demandis subite.

나는 분명 눈에 띄게 살이 많이 빠졌고, 당연히 다시 살찌기 전까지는 건강해질 수 없을 것 같아요. 그건 분명하거든요."

아내는 이 말을 주의 깊게 듣고는 남편 말이 옳다고 인정해야 했다.

아픈 남편은 매일 침대에서 일어나, 옷을 입었지만, 아내 도움 없이는 옷의 어떤 부분도 챙겨 입을 수 없다. 아내가 고집스럽게 요청하기를, 적어도 남편이 프록코트[13]는 입지 말고 코트만 입으라고 했다.

"그러면 사람들이 놀라게 될걸." 남편은 자신의 모습을 거울에 보면서 여러 번 말했다. "사람들은 내가 힘이 없어진 사실에 놀라겠어. 이리도 내 모습이 변했는가!"

"에이, 얼굴은 항상 쉽게 변하거든요." 아내가 끼어들었다.

"맞아요. 그런데 살도 점점 빠지고 있네요."

"살이 빠지기는요! 그게 당신 본래의 모습 아닌가요?" 큰 의심이 든 억양으로 아내가 물었다.

그는 생각에 잠겼다. 그러고는 이렇게 말했다:

"아, 아마 당신 말이 맞을지도 모르지요… 왜냐하면… 며칠 전부터 나는 알게 되었어요… 어쩐지… 내 정장 조끼가…"

"무슨 말씀을요!" 아내가 끼어들었다. "당신은 다만 살이 찌지만 않은 증거이거든요."

"누가 알아요? 왜냐하면, 이 조끼를 보면… 내 생각엔…"

"그러면 당신에게 본래대로 힘이 돌아오려나 보지요."

"아, 아, 당장 그걸 원하는 것 같네요… 이전엔 나는 살이 조금은 더 쪄야 했지요. 심지어 살이 찌면, 곧장 힘도 새로 생길 것으로 당신에게 말한 적도 있는데… 그런데 옷장 뒤에서 뭐 하는 거요?" 남편이 갑자기 물었다.

---

13) *역주: Frock coat. 프록코트 - 19세기와 20세기 초에 유행했던 더블 브레스티드(좌우의 앞길을 깊게 겹쳐 버튼을 2줄로 부착하여 여미는) 남성 재킷의 일종. 한국에는 1905년 관복의 하나로 소개됨.

— Nenion. Mi serĉas en la kofro viŝtukon, kaj mi ne scias, ĉu ĝi estas pura···

— Ne streĉu tiel la fortojn, ĉar eĉ via voĉo ŝanĝiĝas. Ĝi ja estas multepeza kofro.

Efektive, la kofro devis esti pezega, ĉar vangoj de la sinjorino aperis eĉ ruĝo. Tamen ŝi estis trankvila.

De tiu tempo la malsanulo ĉiam pli zorge atentis sian veŝton.

Ĉiam post interrompo de kelkaj tagoj li vokadis al si la edzinon kaj diradis:

— Nu, rigardu! Konvinkiĝu mem. Hieraŭ mi ankoraŭ povis meti tien la fingron, jen, ĉi tien··· Kaj hodiaŭ mi jam ne povas. Mi efektive komencas pligrasiĝadi!

Sed unu tagon la ĝojego de la malsanulo ne havis plu limojn. Kiam la edzino revenis de la lecionoj, li salutis ŝin kun brilegantaj okuloj kaj diris, tre kortuŝite:

— Aŭskultu min: mi diros al vi unu sekreton. Vi komprenas — kun tiu ĉi veŝto mi iom friponis. Por vin trankviligi, mi kuntiradis mem ĉiutage la zoneton, kaj tial la veŝto estis malvasta. Tiamaniere mi tiris hieraŭ la zoneton ĝis la fino. Mi jam ĉagreniĝis, pensante, ke la sekreto perfidiĝos, kaj dume hodiaŭ··· Ĉu vi scias, kion mi diros al vi? Hodiaŭ — mi donas al vi plej sanktan vorton — anstataŭ kuntiri la zoneton, mi devis ĝin iom vastigi!

“아무것도 아니에요. 여행 가방에 수건 찾고 있어요. 깨끗한 게 있는지 모르겠어요.”

“그렇게 힘을 쏟지 마세요. 당신 목소리도 변했어요. 그 여행 가방, 엄청 무거운 거요.”

실제로 그 가방이 엄청 무거웠던 게 틀림없다. 여인의 볼이 붉어지기도 했다. 그러나 그녀는 침착했다.

그때부터 아픈 남편은 정장 조끼에 더 세심한 관심을 두었다.

그는 항상 며칠 간격으로 아내를 불러 말했다:

“저기, 여보! 직접 확인 좀 해봐요. 어제는 내가 여전히 손가락을 거기, 여기, 여기에 편하게 둘 수 있었는데 오늘은 그게 안 돼요. 내가 정말 살이 찌기, 찌기는 하는가 봐요!”

그러나 어느 날, 그 환자의 큰 기쁨에 더는 한계가 없었다. 아내가 강의를 마치고 돌아오자, 남편은 빛나는 눈으로 그녀에게 인사하며 매우 감동에 휩싸여 말했다:

“내 말 한 번 들어보세요: 내가 비밀 하나 말해 주겠어요. 당신은 이해해야 할거요. -내가 이 조끼를 두고 장난을 좀 했지요. 당신 안심시키려고 매일 내가 직접 이 허리띠 부분을 죄었더니, 이 정장 조끼 품이 꼭 맞더라고요. 그런 식으로 어제 이 허리띠를 끝까지 죄어 놓았어요.

비밀이 밝혀질까 봐 벌써 속상했는데, 그러던 중 오늘… 내가 무슨 말을 할지 아나요?

오늘 - 가장 신성한 말로 말하자면 - 이 허리띠를 줄이지 않아도 되겠어요. 이제부터는 조끼의 품을 조금 늘려야 하겠어요!

Estis al mi vere malvaste, kvankam hieraŭ estis ankoraŭ iomete pli vaste··· Nu, nun ankaŭ mi kredas, ke mi estos sana··· Mi mem! La kuracisto pensu, kion li volas.

La longa parolado tiel lin senfortigis, ke li devis reiri sur la liton.. Tamen tie, kiel homo, kiu sen kuntirado de la zonetoj komencas grasiĝadi, li ne kuŝiĝis, sed apogis sin, kiel en apogseĝo, en la brakoj de la edzino.

— Nu, nu, — li flustris — ĉu oni tion esperus? Du semajnojn mi trompis mian edzinon, ke la veŝto estas malvasta, kaj hodiaŭ ĝi mem estas efektive malvasta! Nu. nu!

Kaj ili sidis, premante sin unu al la alia, la tutan vesperon.

La malsanulo estis kortuŝita, kiel neniam antaŭe.

— Mia Dio! — li flustris, kisante la manon de la edzino. — Kaj mi pensis, ke mi jam tiel malgrasiĝados··· ĝis la fino. De du monatoj nur hodiaŭ la unuan fojon mi ekkredis je tio, ke mi povas esti sana. Ĉar ĉe malsanulo ĉiuj mensogas, kaj plej multe— la edzino. Sed la veŝto— ĝi ne mensogas!

\- - -

Hodiaŭ, rigardante la malnovan veŝton, mi vidas, ke pri ĝiaj kuntiriloj okupis sin du personoj. La sinjoro ĉiutage antaŭen ŝovadis la bukon, por trankviligi la edzinon,

내겐 정말 품이 좁아졌어요. 어제까지만 해도 그 품이 조금 더 넓어져 있었는데… 글쎄, 이제 건강이 회복된 듯한 느낌이 들어요… 나 자신도! 그 의사 선생님이 원하던 바가 무엇이었는지 생각해 봐요."

그 긴 이야기로 인해 그는 힘이 약해져, 다시 침대로 가야 했다.

하지만 그곳에서, 마치 허리띠 품을 이젠 더 줄이지 않아도 되는, 마치 살이 찌기 시작한 사람처럼 눕지 않고, 아내 품에, 안락의자에 앉은 것처럼 그렇게 아내 품에 기대고 있었다.

"글쎄, 여보" 그는 작은 소리로 말했다. "그걸 바라는 사람이 있을까요? 2주 동안 나는 조끼가 꽉 끼었다고 아내를 속였는데, 실제로 오늘 보니 그 품이 꽉 조여 있더라고! 그러니, 여보!"

그리고 그들은 저녁 내내 서로 꼭 붙어 앉아 있었다.

아픈 남편은, 이전과는 전혀 다르게, 감동에 휩싸여 있었다.

"다행이네요!" 남편은 아내 손에 키스하며 작은 소리로 말했다. "그러고 그렇게… 결국에 내가 살이 빠질 줄 알았는데… 불과 두 달 전의 일이었는데. 내가 처음으로 다시 건강해질 수 있겠다는 생각이 들기 시작하네.

아픈 사람 앞에서는 모든 사람이 거짓말하는데. 그들 중에 무엇보다도 가장 많이 거짓을 말하는 이가 아내라 하지요. 하지만 이 정장 조끼는 거짓말하지 않거든! "

- - -

오늘, 이 옛 정장 조끼를 바라보니, 그 부부가 이 조끼 품을 늘이고 줄이려고 애쓴 허리띠 2줄이 보인다.

남편은 아내가 걱정하지 않도록 매일 한 줄의 허리띠에 달린 버클을 앞으로 조금씩 밀쳐 놓았다.

kaj la sinjorino ĉiutage mallongigadis la zoneton — por kuraĝigi la edzon.

— Ĉu ili iam kuniĝos ree por konfesi al si reciproke la tutan sekreton pri la veŝto?— mi pensis, rigardante la ĉielon.

La ĉielo jam estis preskaŭ nevidebla super la tero.

Faladis nur neĝo tiel densa kaj malvarma, ke eĉ en tomboj frostiĝis homaj cindroj.

Tamen kiu povas diri, ke post tiuj nuboj ne estas suno?(*)

아내는 남편 걱정을 줄여 놓으려고 매일 다른 한 줄의 허리 띠를 줄여 놓은 것이다.

'그 부부가 다시 만나면, 정장 조끼에 대한 모든 비밀을 서로에게 고백할까?'

나는 하늘을 바라보며 생각했다.

하늘은 이미 땅 저위에서 거의 보이지 않았다.

너무 두껍고 너무 차가운 눈만 저리 내리니, 저 무덤에서도 유골의 재마저 얼어붙게 할 정도였다.

그러나 저 구름 뒤에 태양이 없다고 누가 말하겠는가?

(끝)

우리말 역자의 후기

모란이 피면 모란으로, 동백이 피면 넌 다시 동백으로
나에게 찾아와 꿈을 주고 너는 또 어디로 가버리나.
인연이란 끈을 놓고 보내긴 싫었다.
향기마저 떠나보내고 바람에 날리는 저 꽃잎 속에
내 사랑도 진다.
아아 모란이, 아아 동백이 계절을 바꾸어 다시 피면,
아아 세월이 휭 또 가도 내 안에 그대는 영원하리.
<상사화 >(김병걸 작사, 김동찬 작곡, 린 노래) 중에서

2024년 새해 들어, 폴란드 작가 E. 오제슈코바와 B. 프루스의 여러 단편 작품을 읽었습니다.

이번에는 B. 프루스의 단편소설 2편을 한데 묶은『비전 La vizio & 정장 조끼 La veŝto』를 소개합니다.

E. 오제슈코바의 작품들은 -장편소설 『마르타 Marta』를 비롯한 단편소설 『중단된 멜로디 La Interrompita Kanto』,『선한 부인 Bona Sinjorino & 전설 Legendo』『아보쪼 A…B…C…』- 19세기 후반의 근대 폴란드 여성의 삶이 얼마나 어려운지를 잘 알게 해 주었습니다. 그 작품들을 통해 작가는 여주인공의 계몽적 서사를 통해, 당시 귀족 중심의 사회에서 평민 계급의 각성이, 그 평민을 위한 교육이 나라를 되찾고 건강한 가정을 일구는 구심점이 된다고 말하고 있습니다. 그중에 사회의 계몽 및 여성 교육의 중요성을 설파하려는 그 문학가의 의지도 엿볼 수 있었습니다.

그런데 같은 나라의, 같은 시대의 작가인 B. 프루스를 만나게 될 줄은 전혀 생각하지 못했습니다. 이는 모두 폴란드의 탁월한 에스페란티스토- 번역가들의 활약 덕분입니다. 폴란드의 탁월한 산문작가 B. 프루스의 작품을 대하면서, 그 작품을 읽을

수록 그 작가의 문체와 내용에 호감을 지니게 되었습니다.

그래서 이번에는 에스페란토 창안자 L. L. 자멘호프의 딸이자 탁월한 번역가 리디아 자멘호프 Lidia Zamenhof를 통해 B. 프루스를 독자 여러분과 함께 만나게 됩니다.

역자인 제 생각에는 단편소설 중『비전 La vizio & 정장 조끼 La veŝto』를 먼저 소개하고, 이어, 『어린 시절의 죄 Pekoj de Infaneco』(Antoni Grabowski 번역)을 소개해 볼 계획입니다.

B. 프루스 작품은 국내에는 장편소설『인형』(상/하권, 을유문화사, 2016)이 먼저라고 알고 있습니다.

당시 폴란드 독서계에서는 사실주의 산문작가 B. 프루스의 작품이 서점가에 나오면, 너나 할 것 없이 이 작품을 구해 읽으려고 무진 애를 썼다고 합니다. 만일 그런 기회를 놓친 사람들은 이미 구입한 독서인을 찾아내, 그 작품을 빌려서라도 읽지 않으면, 시대에 뒤떨어지는 줄로 생각했다고 하니, 오늘날 생각하면 상당한 팬들이 늘 이 산문작가의 글을 관심을 갖고 즐겨 읽었나 봅니다.

『비전 La vizio & 정장 조끼 La veŝto』에서는 작가가 『비전 La vizio』을 통해 천주교(기독교) 신앙과 도덕에 대한 작가의 관심을 볼 수 있고, 『정장 조끼 La veŝto』에서는 청춘 부부의 애틋한 사랑을 한 폭의 화폭에 담듯이 그리고 있습니다.

혹시 이 작품의 독후감을 보내시려는 독자가 있다면, 역자 이메일(suflora@daum.net)로 보내주시면, 기꺼이 읽겠습니다.

역자의 번역 작업을 옆에서 묵묵히 지켜주는 가족에게 감사하며, E. 프루스 작가의 다른 단편 작품 『어린 시절의 죄 Pekoj de Infaneco』도 연이어 소개하는 진달래출판사에도 고마움을 전합니다.

-2024년 3월 10일.

동백꽃이 피고 지는 쇠미산 자락에서 장정렬 씀

편집실에서

새로운 봄을 맞아 진달래 출판사에서 4월에 3권의 책을 동시에 출간합니다. 115권째 책은 에스페란토 창안자의 막내딸이자 번역가로 활동하며 에스페란토 홍보에 짧은 생애를 바친 리디아 자멘호프의 번역 소설 2편을 장정렬 선생님의 번역으로 묶어서 발간합니다.

볼레스와프 프루스 (본명: 알렉산더 그오바츠키, 1847 - 1912)는 폴란드의 소설가이자 폴란드 문학과 철학사에서 선도적인 인물이었습니다.

《비전》은 1899년 5월 22일에 쓴 단편소설이며 어린 환자를 둘러싸고 의사와 가난하고 힘든 어머니의 이야기가 나옵니다. 예수 그리스도가 비전을 주는 희망으로 은유되어 있습니다.

《정장조끼》는 1882년에 쓴 단편소설이며 단편소설의 걸작으로 평가됩니다. 가난한 바르샤바 주민들의 일상을 스케치한 작품입니다. 정장조끼의 현 주인인 서술자는 원래 주인과 그의 아내의 삶을 관찰한 내용을 바탕으로 이야기를 재구성합니다. 이 이야기는 체코어, 영어, 프랑스어, 독일어, 히브리어, 이탈리아어, 러시아어, 슬로바키아어, 에스페란토로 번역되었습니다.

이번에 진달래 출판사에서 단편소설 2편을 한데 모아 『비전 & 정장 조끼』를 에스페란토-한글 대역본으로 소개합니다.

이 책을 통해 에스페란토 학습에도 도움이 되길 바랍니다.

특히 이 3권의 작품을 번역한 장정렬 선생님의 노고에 감사를 드리며 더 많은 번역가가 나오길 소망합니다.

- 진달래 출판사 대표 오태영

『 진달래 출판사 간행목록 』

율리안 모데스트의 에스페란토 원작 소설
- 에한대역본
『바다별』(단편 소설집, 오태영 옮김)
『사랑과 증오』(추리 소설, 오태영 옮김)
『꿈의 사냥꾼』(단편 소설집, 오태영 옮김)
『내 목소리를 잊지 마세요』(애정 소설, 오태영 옮김)
『살인경고』(추리소설, 오태영 옮김)
『상어와 함께 춤을』(단편 소설집, 오태영 옮김)
『수수께끼의 보물』(청소년 모험소설, 오태영 옮김)
『고요한 아침』(추리소설, 오태영 옮김)
『공원에서의 살인』(추리소설, 오태영 옮김)
『철(鐵) 새』(단편 소설집, 오태영 옮김)
『인생의 오솔길을 지나』(장편소설, 오태영 옮김)
『5월 비』(장편소설, 오태영 옮김)
『브라운 박사는 우리 안에 산다』(희곡집, 오태영 옮김)
『신비로운 빛』(단편 소설집, 오태영 옮김)
『살인자를 찾지 마라』(추리소설, 오태영 옮김)
『황금의 포세이돈』(장편 소설집, 오태영 옮김)
『세기의 발명』(희곡집, 오태영 옮김)
『꿈속에서 헤매기』(단편 소설집, 오태영 옮김)
『욤보르와 미키의 모험』(동화책, 장정렬 옮김)

- 한글본
『상어와 함께 춤을 추는 철새』(단편소설집, 오태영 옮김)
『바다별에서 꿈의 사냥꾼을 만나다』(단편집, 오태영 옮김)
『바다별』(단편소설집, 오태영 옮김)
『꿈의 사냥꾼』(단편소설집, 오태영 옮김)

클로드 피롱의 에스페란토 원작 소설
- 에한대역본
『게르다가 사라졌다』(추리소설, 오태영 옮김)
『백작 부인의 납치』(추리소설, 오태영 옮김)

장정렬 번역가의 에스페란토 번역서
- 에한대역본
『파드마, 갠지스 강가의 어린 무용수』(Tibor Sekelj 지음)
『테무친 대초원의 아들』(Tibor Sekelj 지음)
『대통령의 방문』(예지 자비에이스키 지음)
『국제어 에스페란토』(D-ro Esperanto 지음, 이영구. 장정렬 공역, 진달래 출판사, 2021년)
『황금 화살』(ELEK BENEDEK 지음)
『알기쉽도록 〈육조단경〉 에스페란토-한글풀이로 읽다』(혜능 지음, 왕숭방 에스페란토 옮김, 장정렬 에스페란토에서 옮김)
『침실에서 들려주는 이야기』(Antoaneta Klobučar 지음, Davor Klobučar 에스페란토 역)
『공포의 삼 남매』(Antoaneta Klobuĉar 지음, Davor Klobuĉar 에스페란토 역)
『우리 할머니의 동화』(Hasan Jakub Hasan 지음)
『얌부르그에는 총성이 울리지 않는다』(Mikaelo Brostejn)
『청년운동의 전설』(Mikaelo Brostejn 지음)

『푸른 가슴에 희망을』(Julio Baghy 지음)
『반려 고양이 플로로』(크리스티나 코즈로브스카 지음, 페트로 팔리보다 에스페란토 옮김)
『민영화도시 고블린스크』(Mikaelo Brostejn 지음)
『마술사』(크리스티나 코즈로브스카 지음, 페트로 팔리보다 에스페란토 옮김)
『세계인과 함께 읽는 님의 침묵』(한용운 지음)
『세계인과 함께 읽는 윤동주시집』(윤동주 지음)

- 한글본
『크로아티아 전쟁체험기』(Spomenka Ŝtimec 지음)
『희생자』(Julio Baghy 지음)
『피어린 땅에서』(Julio Baghy 지음)
『사랑과 죽음의 마지막 다리에 선 유럽 배우 틸라』,
『상징주의 화가 호들러의 삶을 뒤쫒아』 (Spomenka Ŝtimec 지음)
『무엇때문에』(Friedrich Wilhelm ELLERSIE 지음)
『밤은 천천히 흐른다』(이스트반 네메레 지음)
『살모사들의 둥지』(이스트반 네메레 지음)
『메타 스텔라에서 테라를 찾아 항해하다』(이스트반 네메레)
『파드마, 갠지스 강의 무용수』(Tibor Sekelj 지음)
『대초원의 황제 테무친』(Tibor Sekelj 지음)

이낙기 번역가의 에스페란토 번역서
- 에한대역본
『오가이 단편선집』(모리 오가이 지음, 데루오 미카미 외 3인 에스페란토 옮김)
『체르노빌1, 2』(유리 셰르바크 지음)

기타 에스페란토 관련 책(에한대역본)
『에스페란토 직독직해 어린 왕자』(생 텍쥐페리 지음, 피에르 들레르 에스페란토 옮김, 오태영 옮김)
『에스페란토와 함께 읽는 이방인』(알베르 카뮈 지음, 미셸 뒤고니나즈 에스페란토 옮김, 오태영 옮김)
『자멘호프 연설문집』(자멘호프 지음, 이현희 옮김)
『에스페란토와 함께 읽는 논어』(공자 지음, 왕숭방 에스페란토 옮김, 오태영 에스페란토에서 옮김)
『우리 주 예수의 삶』(찰스 디킨스 지음, 몬태규 버틀러 에스페란토 옮김, 오태영 에스페란토에서 옮김)
『진실의 힘』(아디 지음, 오태영 옮김)

- 한글본
『안서 김억과 함께하는 에스페란토 수업』(오태영 지음)
『에스페란토의 아버지 자멘호프』(이토 사부로, 장인자 옮김)
『사는 것은 위험하다』(이스트반 네메레 지음, 박미홍 옮김)
『자멘호프의 삶』(에드몽 쁘리바 지음, 정종휴 옮김)
『자멘호프 에스페란토의 창안자』(마조리 볼튼, 정원조 옮김)

- 에스페란토본
『Pro kio』(Friedrich Wilhelm ELLERSIE 지음)
『Enteru sopirantan kanton al la koro』(오태영 지음)
『Kumeŭaŭa, la filo de la ĝangalo』(Tibor Sekelj 지음)

- 박기완 박사가 번역하고 해설한 에스페란토의 고전
『처음 에스페란토』(루도비코 라자로 자멘호프 지음)
『에스페란토 규범』(루도비코 라자로 자멘호프 지음)
『에스페란토 문답집』(루도비코 라자로 자멘호프 지음)